Verliefd op alle 3

afgeschreven

Boeken van Maren Stoffels

Ook verkrijgbaar als e-book

8+
Schim in het bos

11+
Dreadlocks & Lippenstift
Piercings & Parels
Cocktails & Ketchup
Sproetenliefde
Op blote voeten
Je bent van mij!
Met mijn ogen dicht

12+
Vlucht van Elin
Tara vecht terug
Gezicht van Britt
Verboden voor ons
Verboden voor mij

Check ook

www.marenstoffels.nl

www.stoffelsmaren.hyves.nl

www.facebook.com/marenstoffels

@marenstoffels

Filmpjes op You Tube

Voor mijn eigen favoriete band Hanson,
die de muziek maakt waar ik zo veel inspiratie van krijg.

Eerste druk 2013
© 2013 tekst: Maren Stoffels
Omslagontwerp: Caren Limpens
Omslagbeeld: Ineke Oostveen en Getty Images
Auteursfoto: Joey Buddenberg
Uitgeverij Leopold, Amsterdam / www.leopold.nl
ISBN 978 90 258 6200 8 / NUR 283

Uitgeverij Leopold drukt haar boeken op papier met het FSC®-
keurmerk. Zo helpen we waardevolle oerbossen te behouden.

Inhoud

Je lijkt wel verliefd op ze!

'Opschieten!' Merel wenkt haar broer. 'Straks rijden we weg zonder jou.'

Daan treuzelt bij de snoepautomaat. Pas als de conducteur op het fluitje blaast, springt hij de trein in. Hij wankelt onder het gewicht van zijn rugzak, die bijna uit elkaar barst.

'Wat heb je allemaal wel niet bij je?' vraagt Merel.

Daan grijnst. 'Je weet nooit waar we terechtkomen.'

Merel schudt haar hoofd. Dat weet ze helaas wel. Toen hun ouders vertelden waar ze heen zouden gaan op vakantie, kon ze het nauwelijks geloven. Ashford. Alleen de naam al!

Haar vriendin Emma ligt drie weken op een handdoek aan de Italiaanse zee, maar Merels ouders kiezen voor een dorp in Engeland.

'Wat luister je?' Daan trekt een dopje uit Merels oor en doet het in. Merels lievelingsnummer van No Time Left, *Flyin' solo*, schalt in zijn oor.

'Blegh, alweer die boyband?'

Hun ouders kijken hen waarschuwend aan. Zij weten ook wel dat het vaak ruzie wordt als het om No Time Left gaat.

Merel pakt beledigd het oordopje terug. 'Dan luister je toch niet.'

'Ik moet wel, hij staat zo hard. De hele coupé kan die herrie horen!'

Merel negeert hem en duikt weer in haar tijdschrift. Ze kent het interview uit haar hoofd, maar toch blijft ze het lezen. Jay, Liam en Zac zijn drie broers, die samen No Time Left vormen. Merel is al fan vanaf het begin. Hoeveel posters hangen er wel niet op haar kamer? Het lijkt nu bijna een behang, alleen haar deur is nog vrij.

In haar klas zijn alle meisjes fan. Emma heeft zelfs een poster met handtekeningen gewonnen bij een prijsvraag. Elke keer als Merel bij Emma thuis is, staart ze naar die poster. Het idee dat de jongens daarop hebben geschreven...

'Je lijkt wel verliefd op ze!' riep Emma laatst.

'Dat moet jij nodig zeggen,' zei Merel met een rood hoofd.

'Hoezo?'

Merel wees op een fotolijstje op Emma's bureau. 'Stof je Liam elke week braaf af?'

Merel kijkt naar haar tijdschrift. Ze strijkt met haar vinger over de hoofden van de jongens. Liam, de pianist, is het populairst. Om hem wordt altijd het hardst gegild. Hij is zelfs een keer het publiek ingetrokken toen hij een meisje een hand wilde geven. Zelf is Merel meer fan van Zac, de drummer.

Ze is zelfs op drumles gegaan, omdat ze net zo goed wil worden als hij. Haar drumstokjes zitten in het zijvak van haar rugzak, want van haar leraar moest ze ook tijdens haar vakantie blijven oefenen.

'Zonder drumstel?' had ze verbaasd gevraagd.

'Natuurlijk.' De leraar schoof een tafeltje dichterbij. Hij maakte een roffel. Van de tafel op de bloempot, via de koektrommel op de theeglazen.

'Dat is nou het leuke aan drummen,' zei hij. 'Het kan overal.'

Merel kijkt om zich heen. Verderop zit een groepje zakenmannen met kale koppen. Ze glimmen precies als een drumvel... Trommelen op hun hoofden, hoe zou dat klinken?

Dan valt haar oog op de tourdata van No Time Left. Ze reizen de hele wereld over. Parijs, New York, Berlijn... Maar morgen spelen ze in Londen, op nog geen honderd kilometer afstand van het saaie Ashford. Zo dicht bij de band is ze nog nooit geweest!

Merel kijkt uit het raam, waar ze enkel weilanden met koeien ziet. Hoe vaak kijkt ze niet uit haar eigen slaapkamerraam, in de hoop dat Zac toevallig langsloopt? Merel blijft het doen, ook al weet ze dat het nooit kan.

Maar nu is er een kans om hem écht te zien. Ze kan vanuit Ashford de trein pakken naar Londen, als haar ouders nog slapen. In Londen hoeft ze alleen maar de menigte meisjes te volgen. Stel je voor: op weg naar Jay, Liam en Zac!

'We gaan overstappen.' Merels moeder trekt twee koffers uit het bagagerek. Merel steekt het tijdschrift in het zijvak, naast haar drumstokken.

Als de trein vaart mindert, ziet Merel het bordje BRUSSEL-ZUID voorbij komen.

'Goed bij elkaar blijven, zo veel tijd hebben we niet.' Merels vader heeft de meeste bagage in zijn handen en gaat hun voor in het gangpad.

Op het perron is het een drukte van jewelste. Overal lopen mensen met kinderen, vakantiekoffers, slaapzakken en matjes door elkaar. Merel kijkt naar een jongen die een gitaarkoffer met zich meesjouwt. Jammer genoeg lijkt hij niet eens op Jay.

'Wacht op mij.' Merel pakt Daan bij zijn shirt, om hem niet kwijt te raken in de drukte.

'Je wurgt me bijna,' roept Daan.

'Stel je niet aan.'

'Ik lust ook wel een wafel,' zegt Daan, als ze langs de kraam met verse wafels lopen. De geur is zo zoet dat Merel begint te watertanden.

'Geen tijd!' roept papa, die zich als een slang door de menigte wurmt. Ze moeten zowat rennen om hem bij te houden.

Daan zucht. 'Dit wordt een heel lange zomer.'

Merel kijkt jaloers naar de warme wafel die Daan heeft gekocht bij een volgend stalletje. Zal zij er ook een kopen?

Maar dan denkt ze aan de woorden van Daan vanochtend. *Je weet nooit waar we terechtkomen.* Haar gevoel zegt dat ze haar geld beter kan bewaren.

'Hapje?' Daan houdt haar de warme wafel voor. Merel neemt een hap en likt de poedersuiker van haar bovenlip.

'Hmmm,' zegt ze. 'Laten we in België blijven.'

'Goed plan,' zegt Daan lachend, terwijl hij een hap neemt. Hij blaast de poedersuiker in het rond. 'Dan eten we alleen nog maar wafels.'

Merel doet haar rugzak af. De trein is er nog steeds niet en de banden snijden in haar blote schouders. Als ze de tas op de grond wil zetten, valt haar oog ineens op een portemonnee. Hij ligt op de hoek van een bankje. Is iemand die verloren? Ze raapt het rode bloemetjesding op en kijkt om zich heen. Ergens in de mensenmassa moet een vrouw lopen die nu haar portemonnee kwijt is. Maar wie?

Emma heeft wel eens een portemonnee gevonden waar honderd euro in zat. Helaas moest ze hem van haar ouders naar het politiebureau brengen.

Nieuwsgierig slaat Merel de portemonnee open. Haar ogen vallen meteen op drie woorden, die haar hart een sprongetje doen maken. *No Time Left.*

Is de eigenaar net zo'n fan als zij? Dan ziet ze pas wat haar favoriete band in de portemonnee doet. Het is geen plaatje uit een tijdschrift, maar een kaartje.

Als Merel het omdraait, valt het ding bijna uit haar handen. Met grote ogen staart ze naar de letters. Dit is niet zomaar een kaartje. Dit is een backstagepas! Een pas waarmee je na het concert achter het podium kunt. Handjes schudden met Liam, op de foto met Jay of een kus van Zac…

Merel heeft zoiets wel eens op tv gezien. Een meisje mocht haar favoriete popster ontmoeten. Toen ze backstage kwam, vloog ze de zanger om de nek en bleef ze maar huilen.

Merel wint nooit iets, zeker niet zoiets groots. Ze was al onder de indruk van de handtekeningenposter van Emma, maar dat is niks vergeleken bij een backstagekaartje!

Daan komt naast haar staan. 'No Time Left? Hoe kom je daaraan?'

'Hij zat hierin.' Merel laat de portemonnee zien.

Daan pakt de portemonnee aan. Als hij het geldvakje openvouwt, worden zijn ogen groot. 'Wat veel geld!'

Er schieten allerlei gedachten door Merels hoofd. Het geld kan haar niks schelen, al zat er honderdduizend pond in, maar dat kaartje… Stel je voor: geen wedstrijd die ze moet winnen, of bodyguards die haar tegenhouden. Ze kan hiermee gewoon doorlopen. Ze kan eindelijk Zac ontmoeten!

Het fluitje van de conducteur schudt Merel wakker. Ze draait zich met een ruk om en ziet haar ouders achter de sluitende deuren van de trein.

'Hé, wacht!' Merel schiet naar voren. Haar moeder kijkt haar paniekerig aan. Haar vader bonst boos op de ruit.

'Wij moeten mee!' roept Daan, maar de trein komt sissend in beweging. 'Stelletje…'

Haar broer rent vloekend mee. Merel slingert haar rugzak om en gaat achter haar broer aan.

De trein maakt vaart en haar ouders verdwijnen uit het zicht.

'Wacht nou,' roept Merel paniekerig. Waarom trekken haar ouders niet aan de noodrem?

Maar in plaats daarvan begint de trein steeds harder te rijden. Ze rennen mee tot het eind van het perron. Merel trekt Daan aan zijn rugzak terug.

Met haar handen op haar knieën hijgt ze uit. Haar zij steekt van het rennen. Daan vloekt nog een keer, maar het heeft geen zin. De rode achterlichten van de trein verdwijnen in de verte.

Lekker Ding

'Hij is weg,' stamelt Merel..

Hoe kan dit? Waarom zijn hun ouders ingestapt zonder hen?

'Gewoon weg…'

'Dat zie ik,' snauwt Daan. 'Dat hoef je niet nog een keer te zeggen. Waarom moest jij nou zo nodig die stomme portemonnee oprapen?'

'Alsof het alleen maar mijn schuld is. Jij kocht op je dooie gemak een wafel, hoor.'

Daan haalt zijn telefoon uit zijn zak. 'Shit, leeg. Mag ik die van jou?'

'Die zit in de weekendtas in de trein.'

'Dat meen je niet!'

Merel denkt na. 'Wat nu?'

'We moeten achter ze aan. We nemen gewoon de eerstvolgende trein die kant op. Papa en mama wachten wel.' Daan gooit zijn wafel in de prullenbak. 'Ik heb geen trek meer.'

Merel kijkt naar haar broer. Als hij geen trek meer heeft, is het ernstig. Daan is dol op eten, vooral zoetigheid. Als je hem een zak snoep geeft, is die een uur later op.

'We hebben onze treinkaartjes niet,' zegt Merel. 'Die heeft mama.'

Daan stampt op de grond en denkt na. 'Dan rijden we zwart,' zegt hij uiteindelijk. 'Het is niet anders.'

Merel kijkt hem bang aan. Zwartrijden? Dat heeft ze een keer met Emma gedaan, in de tram. De hele rit zat ze met zwetende handen uit het raam te kijken, bang dat er controle kwam.

'We stappen zo meteen gewoon in.' Daan wijst om zich heen. Er komen steeds meer mensen het perron op. 'Al deze mensen nemen waarschijnlijk ook de trein naar Ashford.'

Als Merel de weilanden voorbij ziet schieten, haalt ze diep adem. Ze zijn onderweg. Gelukkig hebben ze een rustige coupé gevonden, achter in de trein. Waarschijnlijk komt de conducteur hier als laatste controleren. Hopelijk zitten ze dan al veilig in Ashford.

'Laat die portemonnee nog eens zien.' Daan steekt zijn hand uit.

Merel haalt het ding uit haar rugzak en geeft hem aan haar broer. Door alle stress was ze de backstagepas even vergeten, maar nu begint haar hart weer sneller te slaan. Ze voelt een vreemde kriebel in haar buik die lijkt op hoogtevrees, maar dan fijn. Het idee dat ze zoiets kostbaars in handen heeft… Hiermee kunnen al haar dromen uitkomen!

Daan heeft geen interesse in de backstagepas. Hij telt het geld. Merel herkent de dikke munten van één pond. Die zijn meer waard dan een euro, maar ze weet niet meer precies hoeveel.

Daan trekt een dikke stapel geldbriefjes uit een ander vakje en legt het naast de rest. Het halve tafeltje is gevuld en hij fluit bewonderend. 'Ik heb nog nooit zo veel geld gezien.'

'Je doet alsof het van jou is,' merkt Merel op.

'Natuurlijk niet, maar stel je voor…' Daan laat zich achterovervallen. 'Wat zou jij ermee doen?'

Merel stopt het geld terug. 'Ik zou Zac om een handtekening vragen.'

Daan lacht. 'Ik had het helemaal niet over dat kaartje. Trouwens, wat moet je daarmee?'

Merel denkt aan de handtekeningenposter van Emma. 'Ik hang hem boven mijn bed.'

'Dat stukje papier?' Daan trekt één wenkbrauw op. 'Het stelt niets voor!'

Merel kijkt naar de pas. Waarom snapt haar broer het niet?

'Het stelt meer voor dan al dat geld bij elkaar.'

'Jij zou zelfs een uitgespuugd kauwgompje van die jongens boven je bed hangen,' zegt Daan.

Merel bloost. Misschien wel, maar dat hoeft haar broer niet te weten. Laatst zag ze in een filmpje hoe een meisje de handdoek van Liam ving tijdens een concert van No Time Left. Haar broer trok een vies gezicht.

'Daar heeft die gozer zijn zweet aan afgeveegd!'

Maar Merel snapte het meisje wel. Als zij iets persoonlijks zou vangen van Zac, zou ze het nooit meer loslaten.

'Er staat nergens een naam op.' Daan stalt alles uit op het kleine tafeltje tussen hen in.

De backstagepas komt weer tevoorschijn samen met een pasfoto, een wit kaartje met een groot reuzenrad op de voorkant, een bonnetje uit een café en een treinticket…

Merel bekijkt de pasfoto. Een meisje kijkt lachend in de lens. Ze heeft donkere krullen tot op haar schouders en draagt een stoere, rode bril. Het meest opvallende is de tatoeage in haar hals. Eerst denkt Merel dat het een symbool is, maar dan herkent ze de letters LG. Zijn dat haar initialen? Is dit de eigenaresse van de portemonnee? Maar ze ziet er helemaal niet uit als een No Time Left-fan!

'Geef eens?' Daan bekijkt de foto en fluit. 'LG? Ze is meer een LD. Lekker Ding.'

Merel zucht. 'Puber.'

'Dat moet jij nodig zeggen met je Zak.'

'Zak?'

'Of hoe die slechte drummer ook mag heten.'

'Zac!' Merel geeft haar broer een stomp. 'Zac, geen Zak!'

Daan lacht. 'Volgens mij is er iemand verliefd…'

Merel bekijkt snel het kaartje met het reuzenrad. 'Wat is dit?'

Daan kijkt. 'Een toegangsticket, denk ik.' Hij bekijkt de achterkant. 'London Eye. Eye betekent oog.'

'Daar heb ik over gelezen! De London Eye is het hoogste reuzenrad ter wereld, wel honderddertig meter hoog.'

'Sinds wanneer interesseert jou dat?' vraagt Daan verbaasd.

Merel glimlacht. Toen ze hoorde dat No Time Left in Londen ging optreden, heeft ze allerlei informatie over de stad opgezocht. Wie weet kon ze haar ouders zo overhalen? Vooral dat reuzenrad is haar bijgebleven. Toen ze het de eerste keer las, ging er een rilling over haar rug. Honderddertig meter hoog... Stel je voor dat ze daarin zou moeten!

'Gewoon,' zegt ze. 'Ik lees wel eens wat.' Ze bekijkt het bonnetje van het café. *At Rosies,* staat er bovenaan. De rest van de zwarte letters is een beetje uitgelopen, maar nog wel leesbaar. Een lunch voor vier personen. Vier broodjes en vier cola. Wat moeten ze hiermee? Nergens is een naam van het meisje te vinden. Het enige wat ze hebben zijn de letters LG, maar dat kan van alles betekenen. Lucy Grey bijvoorbeeld. Of Lara Grant.

'Laat dat treinkaartje eens zien?' Daan bekijkt het ticket. 'Een enkeltje richting Londen.'

Merel grist het uit zijn handen. 'Londen? Met de datum van vandaag!'

Zit het meisje dus nu in Londen? Maar hoe komt ze daar zonder treinkaartje? Reist ze soms ook illegaal, zoals zij nu? Of loopt ze nu heel station Brussel-Zuid door op zoek naar haar portemonnee?

Op dat moment hoort Merel voetstappen op de gang. Er wordt een deur opengeschoven en in de coupé naast hen klinkt een zware mannenstem.

'Controle.'

Daans ogen worden groot. 'Controle?'

'De conducteur,' piept Merel. Ze kijkt paniekerig om zich heen. Waar moeten ze heen? De gang op? Nee, dan ziet hij hen sowieso. Even overweegt ze om het raampje open te doen en het dak op te klimmen, maar zoiets gaat alleen goed in actiefilms.

'Snel,' sist Merel. 'Onder de banken!'

Haa... haa... haatsjoe!

16 | Merel klemt haar rugzak tegen haar buik aan. Aan de andere kant doet Daan hetzelfde.

Het is krap onder de banken en Merel grijpt in een dikke laag stof. De onderkant van de bank ziet er oud uit en hier en daar zitten er scheuren in de stof, waar gele vulling uitpuilt.

De voetstappen komen dichterbij en dan wordt de deur van hun coupé opengetrokken. Twee zwarte mannenschoenen met dikke veters stappen de ruimte in.

Merel trekt haar benen nog verder in. Ze hapt naar adem. Haar neus kriebelt. Niezen? Nee, niet nu! Negeer die dikke laag stof!

Haa… haa… haa…

Merel probeert niet naar het raam te kijken, waar de zon door schijnt. Emma zegt dat je niesdrang overgaat als je in het licht kijkt, maar het tegenovergestelde is waar.

Haa… haa… haa…

De conducteur staat nog steeds midden in de coupé. Waarom gaat hij niet weg? Ze houdt het niet meer!

Dan hoort Merel ineens een vreemd geluid. Ze kijkt in de richting van haar schoen. Wat is dat?

Haar drumstokje! Hij rolt onder de bank vandaan, in de richting van de man.

Ze zijn erbij. Het volgende station is een kleine cel met tralies voor de ramen. Geen lekkere Engelse scones, maar water en brood. Ratten knagen er aan je tenen als je probeert te slapen…

Het drumstokje komt tot stilstand tegen de dikke zwarte schoen. Merel wacht tot de man zich zal bukken, maar er gebeurt niks. Zijn schoenen zijn waarschijnlijk zo stevig dat hij het nog niet voelt als iemand er een bowlingbal op laat vallen.

Ze moet het stokje terugpakken, anders struikelt de conducteur er straks nog over. Dan ziet hij hem zeker liggen!

Heel voorzichtig strekt ze haar hand uit. Daan schudt paniekerig zijn hoofd, maar als ze zich helemaal uitrekt moet ze erbij kunnen. Als die man nu maar niet naar beneden kijkt...

Merel ligt met haar kin op de vloer. Haar neus kriebelt als een gek. *Haa... haa... haa...*

De man doet een stap naar voren. Merel hoort een raam dichtschuiven. Zoals een panter naar zijn prooi duikt, grijpt ze haar drumstokje van de vloer en trekt zich terug onder de bank. Was ze op tijd? Heeft hij haar arm gezien? Merel durft nauwelijks meer te ademen.

'Hm,' bromt de zware mannenstem en stapt de gang weer op. Als de deur van de coupé achter hem dichtvalt, niest Merel meteen in haar hand.

'Sssst!' Daan wurmt zich onder de bank vandaan. Zijn zwarte shirt zit onder de grijze vegen en hij heeft een knalrode kop van de spanning.

'Hatsjoe!'

'Merel,' sist Daan boos. 'Wil je soms dat hij terugkomt?'

Op dat moment remt de trein af. Er klinkt een hoop gepiep en dan staan ze stil. Zijn ze al in Ashford? Zijn papa en mama er?

Merel springt overeind en snelt naar de gang.

'Wacht,' roept Daan. 'De conduc...'

Maar Merel snelt naar de deuren. Het kan haar niks schelen, ze moeten terug naar hun ouders!

De deuren gaan sissend open en Merel kijkt naar buiten. 'Mam? Pap?'

Vooraan de trein stappen een paar mensen uit, maar hun ouders zijn nergens te bekennen. Merel kijkt op het plaatsnaambordje. LILLE.

Daan komt naast haar staan. 'Frankrijk?'

'We rijden nu nog een stukje door Frankrijk en gaan straks door een tunnel naar Engeland.'

'Onder het water door?' vraagt Daan verbaasd.

Merel knikt. 'Heb je nog nooit aardrijkskunde gehad? Hoe wil je er anders komen?'

'Weet ik veel,' bromt Daan. 'Ik ben niet zo'n nerd als jij.'

Merel schrikt van een stem, die plotseling door de coupé schalt. Hij zegt in het Nederlands, Frans en Engels dat ze bijna de tunnel ingaan.

Merel kijkt naar haar broer, maar die slaapt gewoon door de mededeling heen. Hoe krijgt hij dat toch voor elkaar? Daan valt overal in slaap. Of het nou op een luchtbed in het zwembad of in de trein is.

Ze lijken voor geen meter op elkaar. Merel is lang en dun, Daan is klein en stevig.

Zijn school ligt aan de overkant van haar schoolplein en in de pauze hoort Merel kinderen wel eens over hem roddelen. *Dikke Daan* is zijn bekendste bijnaam. En laatst hoorde ze een jongen *Donut Daan* zeggen.

Thuis doet Daan alsof er niets aan de hand is. Toen hij laatst met een bloedneus thuiskwam, zei hij dat hij was gevallen. Later hoorde Merel een jongen op het plein vertellen dat hij Daan op zijn gezicht had geslagen.

Merel heeft gelukkig nooit een nare bijnaam gehad, maar nu zei Daan ineens *nerd* tegen haar.

Is dat waar? Het klopt dat ze weinig moeite hoeft te doen om hoge cijfers te halen. Emma wil het liefst elke toets naast haar zitten, zodat ze af kan kijken.

Merel weet niet hoe het kan, maar als ze iets één keer leest, onthoudt ze het al. Vooral weetjes.

Maar wat nou als het meer kinderen op gaat vallen? Straks noemen ze haar ook *nerd, stuudje* of *Meetlat Merel*!

Merel schudt haar hoofd. Daar wil ze helemaal niet aan denken. Ze kan zich beter met de portemonnee bezighouden. Ze pakt hem van het tafeltje en peutert in alle vakjes. Er moet toch ergens een naam te vinden zijn? Ze is nieuwsgierig naar het meisje. Hoe komt LG aan een backstagepas?

Dan valt haar oog op een klein vakje aan de achterkant. Hoopvol trekt Merel het klittenband los en ze ziet een foto. Er staan twee mensen op. Merel herkent het meisje van de porte- monnee meteen aan haar LG-tatoeage, maar wie is die ander dan? De vrouw op de foto ziet er nog ouder uit dan Merels oma, die elke week meer rimpels heeft. Soms telt Merel ze, als haar oma in slaap valt in haar stoel.

Op de achterkant van de foto staat in sierlijke letters: *Louisa and granny Gordon.*

De L van Louisa! De keurige naam past voor geen meter bij het meisje.

Merel kijkt nog een keer naar de oude vrouw op de foto. Dus dit is haar oma? *Granny Gordon.* Wacht eens… LG!

'Louisa Gordon.' Merel spreekt de naam langzaam uit, zodat ze hem bijna kan próéven.

Daan knort plotseling in zijn slaap. Het harde geluid vult de kleine coupé en Merel laat van schrik de foto vallen.

Daan draait heen en weer op zijn billen, smakt een beetje, maar slaapt gewoon verder.

Merel pakt de foto van de grond en bekijkt hem nog eens goed.

Louisa Gordon dus. Waarom staat haar naam niet op de backstagepas? Heeft Louisa hem soms gestolen? Misschien wil ze hem wel doorverkopen aan een fan. Hoeveel geld zou zo'n pas wel niet opleveren? Merel zou er al haar spaargeld voor overheb- ben!

Merel denkt aan Emma. Haar vriendin kennende was die hysterisch gaan gillen als ze een backstagekaartje zou vinden.

Merel had de hoop al bijna opgegeven. Ze krijgt No Time Left toch nooit te zien. En nu heeft ze ineens deze pas in haar handen. Het lijkt wel alsof hij op het hoekje van de bank op haar lag te wachten. Iedereen had hem kunnen oprapen, maar zij deed het. Hoe groot is die kans? Eén op een miljoen?

Merel denkt aan haar ouders. Die vinden het nooit goed als zij de pas houdt. Desnoods zal haar vader hem persoonlijk naar Londen bréngen.

Ze kijkt naar Daan, die nog altijd ligt te snurken. Haar broer snapt al helemáál niet wat No Time Left voor haar betekent. Toen Daan laatst haar kamer binnenkwam, lag ze op bed naar een poster van Zac te kijken, die aan het plafond hangt.

'Niet kwijlen,' had hij gezegd.

'Ik kwijl niet!'

'Wat zie je toch in die jochies?'

Jochies. Merel kent geen enkele jongen die er zo uitziet als Zac. In haar klas zitten jochies, maar Zac is een jongen. Hij heeft halflang haar dat alle kanten opgaat als hij drumt. Merel heeft nog nooit iemand zo wild zien slaan als hij. Vaak springt hij aan het einde van het concert achter zijn drumstel vandaan en slingert zijn drumstokjes in het publiek. Stel je voor dat zij die zou vangen…

Merel kijkt naar haar eigen drumstokken, die helemaal afgesleten zijn. Als ze de backstagepas terugstuurt, ontmoet ze hen nooit. Ze kan aan een prijsvraag meedoen, maar dat doen duizend andere meisjes ook.

Met deze pas kan ze zo op Zac afstappen. 'Hoi,' zou ze zeggen. 'Ik ben jouw allergrootste fan, mag ik met je op de foto?'

'Waarom denk ik hieraan?' fluistert Merel tegen de pas. 'Ik mag je toch niet houden.'

Merel schrikt van Daans geeuw. Hij steekt zijn armen in de lucht en rekt zich helemaal uit.

Ze stopt de foto van Louisa en haar oma snel in haar broekzak.

'Wat heb je daar?' vraagt Daan slaperig.

Zal ze het zeggen? Maar als ze vertelt dat ze Louisa's naam weet, zit de portemonnee vanavond nog in een grote envelop richting Londen. Misschien kan ze nu wat tijdrekken. Desnoods één nachtje. Toen ze de backstagepas net zo stevig vasthad, voelde ze voor het eerst een sprankje hoop. Zac lijkt ineens heel dichtbij. Dat gevoel wil ze nog niet kwijt.

'Niets,' zegt Merel.

'Dames en heren, we naderen het eindpunt. Vergeet u alstublieft uw koffers niet.'

'Neem je Zak ook weer mee?' vraagt Daan en hij wijst op Merels tijdschrift.

'Ssst,' sist Merel boos. 'Ik kan de omroeper zo niet verstaan.'

'We zijn in Ashford,' doet Daan de stem van de man na. 'Hier moeten we er helaas uit.'

'Stil nou!'

'Ik herhaal: dit is het eindpunt. U wordt vriendelijk verzocht uit te stappen.'

Merel hijst haar rugzak op haar rug en buigt zich voorover om uit het raampje te kunnen kijken. Het station van Ashford is veel groter dan ze zich had voorgesteld. Als de trein binnenrijdt, klinkt er veel lawaai van roepende mensen en piepende treinremmen.

Samen met Daan stapt ze uit. Uit het voorste gedeelte van de trein komen honderden mensen.

Moeten die allemaal in Ashford zijn? Misschien is het dan toch niet zo'n vreselijk gat als ze dacht.

'Zie jij papa en mama?' vraagt Merel aan haar broer.

Daan schudt zijn hoofd. 'Wat een gekkenhuis hier.'

Merel knikt. Ze krijgt het benauwd van de duwende menigte.

'Ik snap er niks van,' zegt Daan. 'Ze zullen hier toch wel ergens staan?'

Merel kijkt om zich heen. Nergens kan ze de kalende kop van haar vader ontdekken. Misschien wachten ze ergens in een restaurantje?

'*Sorry,*' zegt ze tegen een Engelsman, die langsloopt. '*Where is…*' Ze denkt na. Hoe moet ze dit vragen? Merel is goed in

Engels, maar ze kent nog lang niet alle woorden. '… *the meeting point?*'

Meeting point. Ontmoetingsplek. Daar zijn haar ouders vast. '*Over there.*' De man wijst een richting uit. '*Busy here, right?*' Druk? Nou en of! Merel glimlacht.

'*Ashford is big,*' zegt ze in haar beste Engels. '*Ashford?*' De man lacht. '*This is London!*'

Wat nu?

'Londen?' Er botst iemand tegen Merel op, maar ze merkt het nauwelijks.

'Lónden?' Ze kijkt om zich heen. Het station lijkt opeens nog groter. De mensen om haar heen zijn net zoemende bijen. Overal hoort ze geluiden: omroepen door de luidsprekers, krantenverkopers die de koppen van de krant verkondigen, een jengelend kind aan de arm van zijn moeder… Hoe kon ze denken dat dit Ashford was?

Daan schopt keihard tegen een prullenbak aan. 'Shit!'

'Hoe kan dit?' stamelt Merel. 'We zaten toch in de goede trein?' Ze kijkt naar het gestroomlijnde geel-grijze voertuig. Dat ziet er precies zo uit als de trein waarin haar ouders zaten. Wat is er dan misgegaan?

'Dat stómme Ashford.' Daan is druk bezig een deuk te trappen in de prullenbak.

Merel voelt zich misselijk. Het is alsof haar benen haar niet meer houden. Ze moet zitten, ze moet iets eten, of nee, toch niet. Ze moet… Ze moeten naar hun ouders!

Daan schopt nog een keer tegen de prullenbak. Merel ziet verderop een man in een zwart uniform met zilveren knopen naar hen kijken. Als hij op hen afkomt, pakt Merel haar broer bij zijn arm.

'Wat doe je?' reageert Daan boos. 'Laat me even lekker schoppen!'

'Weg hier,' sist Merel. 'Die agent komt eraan.'

Merel zet het op een lopen. De misselijkheid wordt er nog erger van, maar toch wurmt ze haar dunne lijf overal doorheen. Ze sleurt Daan achter zich aan, die moeite heeft haar bij te houden. Zijn grote rugzak beukt een groepje toeristen opzij.

'Kan… het… iets langzamer?' roept Daan.

Merel schiet een cafeetje in. Als ze bij een tafel neerploffen, kijkt ze snel naar buiten. De agent kijkt zoekend om zich heen. Uiteindelijk gaat hij de andere kant op.

Merel haalt diep adem. De etenslucht in het café maakt haar misselijkheid er niet beter op. Straks moet ze nog overgeven!

'*Hi love, what can I get you?*'

Merel kijkt verward op. Ze zit weer helemaal in het hier en nu. Ze zijn in Londen en het valt niemand op dat ze verdwaald zijn. Voor deze serveerster zijn ze gewoon twee pubers. Zal Merel haar vertellen dat ze haar ouders kwijt is?

'Cola,' zegt Daan.

Het meisje kijkt hem niet-begrijpend aan.

'Cola,' zegt Daan nog een keer, maar het meisje heeft geen idee waar hij het over heeft.

'Kennen ze dat hier niet?' vraagt Daan verbaasd.

Merel schudt haar hoofd. 'Ze noemen het hier anders… wacht even.' Ze graaft in haar geheugen. Het is één grote warboel door alles wat er net is gebeurd. Ze kan alleen nog maar aan de trein denken, en aan het grote, volle station. Hoe heette cola nou ook alweer in het Engels? Het had iets met drugs te maken, want dat vond ze nog zo vreemd.

'*Coke?*' Het schiet Merel ineens te binnen. '*Two?*' Ze steekt twee vingers in de lucht.

Het meisje knikt en loopt weg.

'Londen…' stamelt Merel. 'Dat geloof je toch niet?'

Daan schudt zijn hoofd. 'Ik snap er niks van.'

Merel kijkt uit het raam. Honderden mensen haasten zich naar de perrons.

De serveerster zet de twee glazen cola op tafel.

Merel neemt een grote slok en voelt de koude drank door haar keel glijden. Wat had ze een dorst! Ze heeft sinds haar ontbijt niks meer gegeten of gedronken. Op het hapje wafel na dan.

Merel telt haar geld. Ze kreeg vijf pond van haar ouders, vlak voordat ze weggingen. Zie je wel, het is maar goed dat ze geen wafel heeft gekocht. *Je weet nooit waar we terechtkomen.*

Merel kijkt naar het bonnetje van de twee cola. Drie pond?! Dan is haar geld al bijna op.

Ze kijkt naar Daan. 'Wat is het hier duur!'

Daan knikt. 'Maar we hebben die portemonnee nog.'

'Wil je haar geld stelen?' *Het geld van Louisa Gordon,* denkt Merel bij zichzelf.

'Natuurlijk niet,' zegt Daan beledigd. 'Maar we moeten naar Ashford. Of wil je weer niezend onder de treinbanken gaan liggen?'

Merel staat in haar eentje tegen een pilaar geleund. Daan zoekt uit hoe laat de trein naar Ashford vertrekt. Nog even en ze is weer bij haar ouders. Waarschijnlijk sturen zij de portemonnee vanavond nog naar de politie. Dan ziet Merel de pas nooit meer terug.

Ze draait zich om en schrikt van de donkerbruine ogen van Zac. Het zijn ogen van papier. Aan de overkant van de hal hangt een enorme poster op een reclamezuil. Erboven staat: NO TIME LEFT ON TOUR.

Merel loopt naar de poster en kijkt naar Zac, die levensgroot op de foto staat. Had ze deze maar op haar kamer. Hij zou in één keer de hele wand bedekken.

Merel bekijkt de datum van het concert. Het duurt even tot het tot haar doordringt, maar dan gaat er een kriebel door haar hele lijf.

Ze spelen morgen natuurlijk hier! Zonder dat het de bedoeling was, is ze in Londen terechtgekomen. Merel kijkt naar de sticker die over Zacs haar is geplakt. SOLD OUT, uitverkocht dus. Even voelt ze een steek van teleurstelling, maar dan denkt ze aan de pas. Zij hoeft helemaal geen kaartje te kopen. Met de pas kan ze zo doorlopen! Langs de rijen hysterische fans, die moeten wachten tot de deuren opengaan. Ze kan de beste plek kiezen, helemaal vooraan. Als Zac zijn hand uitsteekt, kan zíj die pakken!

Maar hoe krijgt ze Daan zover dat hij in Londen blijft? Als ze hem vertelt over het concert, wil hij zeker weten naar Ashford.

'Merel!' Daan komt aangerend. 'Waar was je nou?'

'Hier.' Merel trekt haar broer snel uit het zicht van de grote No Time Left-poster.

'Kom je?' vraagt Daan. 'Ik heb de kaartjes naar Ashford.'

Merel kan het nog steeds nauwelijks geloven. Zac, Liam en Jay zijn nu ergens in Londen, net als zij. Als ze naar het centrum gaan, komt ze hen misschien wel tegen. Stel je voor dat ze Zac tegen het lijf loopt in een kledingwinkel, of dat de drie broers voor haar in de rij staan bij de kassa van een broodjeszaak.

Als ze op de trein stapt, zijn al haar kansen verkeken. Bovendien zou ze het zichzelf nooit vergeven, nu ze zo dichtbij is.

'Nee,' zegt Merel. 'Ik ga niet mee.'

'Wat?'

Nu moet ze doorzetten.

Merel haalt diep adem. 'Ik wil niet dat papa en mama de portemonnee terugsturen.'

'Wat wil je dan?' vraagt Daan verbaasd.

'Ik wil die backstagepas zelf houden,' zegt Merel.

'Hij is niet van jou,' zegt Daan.

'Maar wat als hij bij een verkeerde persoon wordt bezorgd? Misschien gooit die hem dan wel in de prullenbak!' Merel ziet het al voor zich. Dan kan zij hem toch veel beter zelf gebruiken? Ze wil het er bijna uitflappen, maar houdt zich op tijd in. Daan zal nooit begrijpen waarom ze de pas zelf wil gebruiken. Hij is geen fan van een band zoals zij dat is.

'We moeten gaan,' zegt Daan. 'Kom.'

Straks stapt hij in de trein zonder haar. Ze móét hem hier houden.

'Wacht!'

'Wat is er?' vraagt Daan.

'We kunnen in Londen blijven,' stelt Merel voor. Ze probeert niet al te gretig te klinken.

Daan lacht. 'Ja, hoor.'

'Hier hebben ze dubbeldekkers,' zegt Merel. 'En het grootste reuzenrad ter wereld.'

Daan schudt zijn hoofd. 'Kom mee, anders missen we de trein weer.'

'De lekkerste scones,' zegt Merel snel. 'Die vind je in Londen.'

'Scones?'

'Die broodjes met room en jam.'

Het blijft even stil, maar dan schudt Daan zijn hoofd. 'Leuk geprobeerd.'

Morgen is dat concert al! In Ashford zit ze meer dan honderd kilometer van No Time Left af. Vanochtend leek dat dichtbij, maar nu lijkt het een enorme afstand.

'We gaan jouw lekkere ding zoeken,' roept Merel. Het is eruit voordat ze er erg in heeft.

'Hoe bedoel je?'

Waarom zegt ze dit? Ze wil die Louisa helemaal niet vinden! Ze wil die pas zelf houden, zodat ze eindelijk Zac kan ontmoeten. Maar het werkt: Daan blijft staan.

'We kunnen haar opsporen,' zegt Merel. 'Dat is toch spannend?'

'Weet je wel hoe groot Londen is?' Daan lacht.

Merel knikt. 'Even groot als de provincie Utrecht.'

'Natuurlijk weet je dat,' zegt Daan. 'Ik was even vergeten tegen wie ik het had.'

'Of wil je liever naar Ashford?' Merel trekt een vies gezicht bij de naam van het Engelse dorpje. 'Daar moeten we elke ochtend met papa en mama wandelingen maken.'

Daans gezicht betrekt. Hij heeft een hekel aan wandelen. 'Waar wil je in hemelsnaam beginnen?' Hij kijkt om zich heen. Overal krioelen mensen door elkaar.

Merel kijkt op haar horloge, dat twee uur aangeeft. Daan

moet geloven dat zij Louisa écht wil vinden. Dat ze het een spannend avontuur vindt.

Maar hoe houdt ze die leugen twee dagen vol? Merel spiekt voorzichtig achter Daan, waar de levensgrote Zac haar toelacht. Hoeveel van dit soort posters hangen er door de stad? Daan mag er niet achterkomen dat de band in Londen is. Hij kan dan heus wel één en één bij elkaar optellen. Als hij erachter komt dat Merel hem voorliegt, ontploft hij.

Merel voelt aan haar broekzak. De foto van Louisa Gordon en haar oma zit veilig opgeborgen. Zij is de enige die de naam van Louisa kent.

'Nou?' vraagt Daan ongeduldig.

Kan ze dit wel maken? Ze moet glashard liegen tegen haar broer.

Daan zucht. 'Je zit toch niet weer over die jochies te dromen, hè?'

Die jochies. Blijft haar broer dat telkens zeggen?

Merel kijkt om zich heen. Waar begin je met zoeken als je iemand niet wil vinden?

'Zullen we bij het reuzenrad gaan kijken?' stelt Merel voor. 'Daar is zij tenslotte ook geweest.'

Daan knikt. 'Vooruit. Maar ik doe dit voor jou. En voor het lekkere ding natuurlijk.' Hij pakt een gratis plattegrond uit een rekje en gaat haar voor de stationshal door.

Merel werpt nog een laatste blik op de poster. Net als thuis kijkt ze even diep in zijn ogen.

'Zac,' zegt ze zachtjes. 'Ik kom eraan.'

Stelletje...

De metro schiet onder de grond door richting het reuzenrad.
Merel bekijkt de mensen tegenover zich. Zakenmannen en
-vrouwen met koffertjes en een groepje tieners. De jongens
staan vlak bij de deur. Eén ervan doet Merel aan Zac denken.
Hij heeft hetzelfde halflange haar en dezelfde bruine ogen.
Zelfs de manier waarop hij kijkt, lijkt op de jongste No Time
Left'er. Zou het misschien…

'Wat zit je te staren?' Daan stoot haar aan.

Merel rukt haar blik los van de jongen. 'Niets.'

Natuurlijk is dit Zac niet. No Time Left reist vast per limousine, die gaan echt niet met de ondergrondse. Als ze straks boven
de grond zijn, moet ze goed opletten. Je weet maar nooit, misschien rijden ze wel voorbij.

Merel kijkt nog een keer naar de jongen. Wat is hij knap! Dan
kijkt de Zac-lookalike plotseling haar kant op. Als hij ziet dat
Merel kijkt, knipoogt hij. Merel wendt snel haar hoofd af. Ze
lijkt net een verliefde theemuts! Gelukkig is Emma er niet bij,
die had onder de bank gelegen van het lachen.

Op school weet Merel ook nooit wat ze met jongens aan
moet. Als iemand op het klassenfeest met haar wil dansen, wordt
ze superverlegen.

Merel spiekt voorzichtig, maar de jongen staat nog steeds te
grijnzen.

'Wat moet hij van je?' sist Daan.

'Weet ik veel,' zegt Merel snel. Zal ze zeggen dat hij naar haar
knipoogde?

Eén jongen uit het groepje wijst op Daan en blaast zijn wangen bol. De rest schiet in de lach.

Ze kijkt naar Daan, die knalrood is. Waarom doet hij niets?

Ze maken hem belachelijk!

De jongens gaan gewoon door. Ze wijzen en lachen. Eén jongen propt een denkbeeldige hand snoep in zijn mond en kauwt met volle nepwangen.

'Stelletje…' Merels hart gaat tekeer; die jongens moeten Daan met rust laten!

'Ze verstaan je toch niet,' zegt Daan.

'Nou en?' Merel zit op het puntje van de bank. Haar hele lijf staat strak van de spanning, alsof ze elk moment aan kan vallen. De jongens lachen schaapachtig.

'Eikels,' roept Merel.

'Laat nou maar!' Daan trekt Merel terug naar achteren.

Als de metro tot stilstand komt, stappen de jongens uit.

De Zac-lookalike doet alsof hij een heel dikke buik heeft en waggelt het perron af. Die jongen is geen haar beter dan de rotzakken van Daans school. Hoe kon ze ooit denken dat hij Zac was?

De London Eye torent als een monster boven de gebouwen uit. Het reuzenrad zit vol mensen en draait langzaam rond.

'Wat gaan we hier eigenlijk doen?' vraagt Daan.

Merel kijkt naar haar gympen. 'We moeten toch ergens beginnen als we dat meisje willen zoeken? Of heb jij een beter idee?'

'Laten we maar gaan kijken,' stelt Daan voor en hij loopt in de richting van het reuzenrad. Bij het oversteken moet Merel hem tegenhouden als hij bijna onder een auto loopt.

'Hela!' Daan schrikt zich rot.

'Ze rijden hier links,' zegt Merel.

'Dat weet ik heus wel, wijsneus,' snauwt Daan en hij trekt zijn shirt recht.

Nerd, wijsneus. Waar heeft hij last van?

'Sorry, hoor,' zegt Merel.

Voor het reuzenrad ziet Merel een rij van tientallen mensen met camera's. Toeristen, net als Daan en zij.

'Zullen we maar vast in de rij gaan staan?' stelt Daan voor.

Merel kijkt geschrokken op. 'Wil je erin?'

Als Merel haar hoofd in haar nek legt, kan ze net de bovenkant van het reuzenrad zien.

'Misschien komen we boven op ideeën,' zegt Daan. 'Dat meisje is tenslotte ook boven geweest.'

Merel slikt. Ze moet doen alsof ze Louisa wil vinden, maar dit gaat wel erg ver. Honderddertig meter!

'We kunnen toch ook gewoon beneden…' begint Merel.

Daan zucht. 'Je gaat toch niet weer beginnen dat je de backstagepas wil houden, hè?'

'Natuurlijk niet.' Merel voelt dat ze kleurt. Heeft Daan haar door?

'Dus jij wil de portemonnee ook terugbrengen?' vraagt Daan, terwijl hij haar onderzoekend aankijkt.

'Natuurlijk,' zegt Merel stellig, terwijl ze haar broer aan blijft kijken. 'Kom, we gaan in de rij staan.'

Het duurt een eeuwigheid. Daan moppert op de langzame caissière, maar Merel kijkt rustig om zich heen. Het concert is niet ver meer. Merel voelt haar buik kriebelen. Ze hoeft dit maar één dag vol te houden. Eén dag in haar leven liegen tegen Daan. Hoe erg is dat? Ze doet het tenslotte voor Zac, Liam en Jay.

Hoe zouden ze zijn in het echt? Ze heeft al zo veel interviews gezien, dat ze het gevoel heeft dat ze hen al heel lang kent.

Emma had het laatst over een arrogante actrice, wat nou als No Time Left ook zo is? Nee, dat kan niet. Ze nemen altijd de tijd voor fans en maken foto's.

In gedachten staat ze al tegen Zac aan, met zijn arm om haar middel. Hoe zou hij ruiken? Vast niet naar de vieze deo die de jongens uit haar klas opspuiten na gym. Zac ruikt vast heerlijk!

'Dit geloof je toch niet?' Daan gooit zijn armen in de lucht. 'In dit slakkentempo vinden we die vrouw nooit!'

Merel knikt. Het lijkt wel of de caissière begrijpt dat Merel wat tijd wil rekken. Dankzij haar zijn ze straks weer een halfuur verder. Een halfuur dichter bij No Time Left.

'Ook Nederlanders?'

Merel schrikt van de plotseling bekende taal. Ze kijkt in de gezichten van een oud stel, met zonnekleppen op.

'Ja,' zegt Daan.

'Zijn jullie iemand kwijt?' vraagt de vrouw.

'Kunnen wij helpen?' vraagt de man.

Wat willen ze van hen? Merel wil weglopen, maar Daan trekt aan haar rugzak.

'Geef die portemonnee eens?'

Nee, niet doen! Merel wil hem tegenhouden, maar haar broer heeft het gebloemde ding al in zijn handen.

'We hebben een portemonnee gevonden,' legt Daan uit.

Waarom zegt hij dit? Maar de man pakt het ding over en bekijkt hem van alle kanten.

'Aha,' zegt hij. 'Die kan het beste naar de politie.'

'Nee!' Merel schreeuwt het uit.

Daan kijkt haar verbaasd aan. 'Wat heb jij?'

Merel denkt koortsachtig na. Als de pas straks op het politie-bureau ligt, heeft ze er niets meer aan. Straks huppelt er een heel blije agente backstage, omdat ze een kus van Zac heeft gekregen. Maar die kus is voor haar bedoeld!

'We willen die eigenares toch zoeken,' sist Merel tegen Daan. Ze trekt hem naar zich toe. 'Als we bij de politie komen, sturen ze ons meteen naar Ashford.'

Het blijft even stil, maar dan knikt Daan. 'Je hebt gelijk.'

'Waar zijn jullie ouders eigenlijk?' vraagt de man dan.

Zie je wel, daar heb je het al!

'Die zijn…' Merel zoekt naar een smoes. 'Aan het winkelen.'

Naast haar schiet Daan in de lach. Hun vader heeft een hekel aan winkelen, zeker als de zon schijnt. Maar dat kan die man toch niet weten?

De man slaat de portemonnee open en bekijkt de inhoud.

'Er zit een pasfoto in,' zegt hij dan. Hij kijkt over zijn bril. 'Wat heeft ze nou voor tatoeage?'

'LG,' zegt Daan. 'Waarschijnlijk haar initialen.'

Louisa Gordon, denkt Merel bij zichzelf.

'Het is een opvallende verschijning.' De man lacht. 'Die moet te vinden zijn.'

'Hoezo?' vraagt Merel.

'Jullie hebben deze foto,' zegt de man. 'Wie weet herkent iemand haar.'

Daans ogen lichten op. 'Dat is een goed idee!'

Merel vloekt inwendig. Dit detectivestel verpest alles. Stomme Louisa, met haar opvallende tatoeage. Waarom is ze niet gewoon een onopvallende saaie, grijze muis?

Ze zijn eindelijk aan de beurt en Daan stapt met de pasfoto op de caissière af. Hij houdt de foto van Louisa tegen het glas.

De caissière kijkt naar de foto. Per dag komen hier honderden toeristen. Hoe klein is de kans dat deze caissière haar heeft onthouden?

Even klein als de kans dat ík die portemonnee vond, denkt Merel bij zichzelf. En dat gebeurde óók.

Ze draait haar duimen om elkaar. *Alsjeblieft, herken haar niet. Herken haar niet!*

Het lijkt een eeuwigheid te duren, maar dan schudt het meisje haar hoofd. *'Sorry.'*

Bewijs het maar!

Merel klampt zich vast aan een ijzeren stang voor zich. Ze staat met Daan en nog tien anderen in een van de gesloten cabines van de London Eye, die nu langzaam begint te draaien. Onder zich ziet ze de rivier de Theems en de huizen steeds kleiner worden. Auto's zijn net speelgoedwagentjes en mensen een bende krioelende mieren, op weg naar hun nest. Merel sluit haar ogen. De ijzeren stang wordt nat onder haar zwetende handen.

'Moet je die toren zien,' roept Daan opgewonden.

'De Big Ben,' mompelt Merel, zonder te kijken.

'Doe je ogen eens open.' Daan stoot haar aan.

Merel verliest bijna haar evenwicht en voelt een schok door haar lijf gaan.

'Niet duwen!'

Daan grinnikt. 'Er zit nog glas tussen, hoor.' Hij bonst op de glazen ramen.

'Ik wil eruit.' Merel denkt aan de attractie op de kermis, waar Emma haar een tijd geleden mee naartoe sleurde. Toen ze omhoog werden getakeld, besefte Merel dat het een vrije val zou worden. Ze begon te gillen, maar ze kon niet meer uitstappen. Ze zat vast in de ijzeren beugels.

'Zou ze soms een toerist zijn?' gaat Daan verder.

'Weet ik veel.'

'Help nou even mee.'

Merel voelt in haar broekzak. De opgevouwen foto zit er nog steeds. De backstagepas zit veilig in de portemonnee in haar rugzak. Hoe zou Louisa er toch aan zijn gekomen? Misschien is het wel zo'n meisje dat aan de lopende band prijsvragen wint. In Merels klas zit er zo eentje. Elke week komt Pip met nieuwe prijzen aanzetten. Toen Emma de handtekeningenposter won, reageerde ze ontzettend jaloers. Wat zou Pip zeggen als Merel na de vakantie vertelt over haar ontmoeting met Zac? Ze weet zeker dat Pip ontploft van jaloezie!

Merel denkt aan morgen. Het voelt dichtbij, maar ook heel ver weg. Ze kan niet wachten!

Kan ze vanaf hier de concerthal eigenlijk zien liggen? Misschien ziet ze de limousine van No Time Left wel!

Merel doet haar ogen open. Ze zijn bijna op het hoogste punt en ze voelt haar knieën knikken. Vanaf hier kan ze heel Londen zien.

'Wat doe je?' vraagt Daan verbaasd, als Merel een rondje door de cabine loopt.

'Kijken.' Merel hangt een beetje voorover. Het enige wat nog tussen haar en de afgrond zit, is het glas. Haar benen tintelen en haar mond voelt droog.

Merel herkent de Big Ben, die aan de andere kant van de rivier staat.

'Moet je al die stomme toeristen zien.' Daan wijst naar beneden.

Merel ziet een groepje mensen voor het reuzenrad staan. Er wordt druk gefotografeerd, met felle flitsen.

Morgen wil ze op de foto met de band. Eén foto met alle drie en één foto alleen met Zac.

Dan ziet Merel de grote witte koepel, met de vreemde ijzeren stangen die eruit steken. Het lijkt net een omgekeerde spin. Dat moet de concerthal zijn, ze herkent het gebouw van het plaatje uit haar tijdschrift. Morgen zijn Jay, Liam en Zac daar.

'Yes!'

'Wat is er?' Daan komt meteen naast haar staan. 'Nou?'

Hoe kan ze zo stom zijn om hardop te juichen?

'Daar heeft No Time Left ooit opgetreden,' verzint Merel.

Ze probeert haar rode wangen weg te denken, maar het werkt niet. Ze krijgt het ineens heel warm in haar vestje.

'No Time Left?' Daan kijkt boos op. 'Jij kunt alleen maar aan die stomme band denken!'

'Ze zijn niet stom.'

Daan houdt zijn hand op. 'Geef die portemonnee maar aan mij.'

'Waarom?'

'Omdat jij die pas straks nog wil houden ook.'

'Doe niet zo achterlijk.'

'Geef op!'

Merel wil vanavond in slaap vallen met de pas tegen zich aan. Dromen over morgen…

'Laat ook maar. Ik ga naar Ashford.' Daan draait zich om.

Merel ziet het al voor zich: straks zwerft ze helemaal alleen door de stad, wachtend op morgen. Over een paar uur wordt het donker…

Ze heeft haar broer nodig in deze gigantische stad. Als ze de backstagepas af moet staan om Daan hier te houden, moet het maar. Ze ritst haar rugzak open en duwt de portemonnee in Daans handen. 'Hier. Nou tevreden?'

Merels benen voelen als lood. Ze slenteren al een uur door Londen, van hotel naar hotel, maar alles is hier onbetaalbaar.

'Zullen we deze doen?' Daan staat stil.

Merel kijkt naar het chique hotel. Het trappetje naar de draaideur is belegd met rood tapijt en de leuningen zijn van goud. Voor de deur staat een man met een hoed en uniform.

'Veel te duur,' zegt Merel. Ze hoeft niet eens op de prijslijst te kijken, want zelfs de manchetknopen van de portier zijn van goud.

'Ik kan niet meer.'

Merel knikt. Zelf is ze ook doodmoe. Bovendien hoeft ze in het hotel niet bang te zijn dat Daan verder zoekt. Dan is er alweer één dag voorbij. Als ze morgenochtend wakker wordt, hoeft ze nog maar een paar uur te rekken.

Merel schrikt van een auto die langsscheurt. Ze voelt een druppel op haar hoofd. Op straat lijkt iedereen haast te hebben.

De beginnende regen doet de mensen rennen.

'Kom je nou nog?' vraagt Daan ongeduldig.

Merel voelt zich misselijk. Komt dat door de honger of door Louisa? Straks hebben ze haar hele portemonnee geplunderd. Het reuzenrad was al flink duur, maar wat zal één nachtje hier wel niet kosten? Dit is net een hotel voor bekende sterren!

Zou Zac ook in zo'n hotel slapen? Tijd om ervan te genieten hebben de broers nauwelijks, als ze de hele dag interviews moeten geven. Na morgen gaan ze alweer door naar Parijs. En daarna vliegen ze naar Amerika.

Merel probeert zich niet schuldig te voelen omdat ze de portemonnee plunderen. Een grotere fan van No Time Left dan zij bestaat niet! Op haar kamer praat ze vaak tegen de poster van Zac boven haar bed. Ze vertelt belangrijke dingen, maar soms ook gewoon hoe haar dag was. Hij is haar dagboek. Merel kent niemand die dat ook doet en zelfs Emma weet dit niet van haar.

Als ze Zac zou zien, zou Merel zeggen hoe belangrijk hun muziek voor haar is. Als ze verdrietig is, luistert ze hun vrolijke nummers en is het zo weer over. Door Zac is ze op drummen gegaan en ze wil heel graag een eigen band beginnen. Emma speelt gitaar en zingt, dus dan hebben ze alleen nog een pianist nodig. Een Liam.

Het begint harder te regenen en een man klapt zijn paraplu in. Hij loopt het hotel in en zijn koffer wordt overgenomen door de portier met de gouden manchetknopen.

'Ik ga, hoor,' zegt Daan. Hij staat al op het trapje.

Merel wil in een warm bed ploffen, en de deken over haar hoofd trekken. Wat doet ze nog buiten? Het enige vest dat ze bij zich heeft, wordt nat.

Ze moet niet zo twijfelen. Louisa is vast zo'n verwend meisje dat de band al vaker heeft ontmoet. Een soort Pip. Die heeft deze pas niet nodig, die wint zo weer een nieuwe.

'We gaan naar binnen,' zegt Merel en ze stapt het trapje op.

'Wacht eens,' zegt Daan, als ze zich door de draaideur duwen.

'Ze laten twee kinderen zonder ouders nooit binnen.'

'Hoe komen we dan aan een kamer?' vraagt Merel.

Ze kijkt om zich heen, maar de hal van het hotel is leeg. De portier is waarschijnlijk met de koffers van de gast weg en de receptionist is nergens te bekennen.

Er borrelt een plan in Merel op. 'Ik weet hoe we een kamer kunnen krijgen.'

'Hoe dan?' vraagt Daan.

Merel wijst op een bord achter de receptie. Er hangen sleutels aan met grote, gouden sleutelhangers.

'Kies er maar één uit.'

We lijken wel beroemd!

Daan schudt zijn hoofd. 'Niet doen.'

Merel loopt naar de receptie. Als ze over de balie buigt, kan ze nét bij de sleutels.

Daan trekt haar terug. 'Houd op!'

Buiten slaat de regen tegen de ramen.

Merel kijkt haar broer aan. 'Wil je soms onder een brug slapen?'

Daan kijkt naar buiten. 'Maar…'

'Het kan niet anders.' Merel kijkt om zich heen. 'Als we niet opschieten, komt die portier terug. Dan slapen we vannacht in een cel en is ons ontbijt water met brood.'

'Schiet op dan,' zegt Daan.

Merel buigt zich voorover en reikt naar het rek met de sleutels. Ze grist de eerste de beste sleutel van het rek. Kamer 2210.

'De verjaardag van Zac!'

'*Whatever*,' zegt Daan. 'Wegwezen hier!'

Merel doet de deur naar de hotelkamer open. Het eerste wat haar opvalt is het enorme hemelbed met witte lakens. Op de kussens liggen chocolaatjes verpakt in goudpapier. Zo te zien is de kamer niet bezet, maar voor de zekerheid loopt Merel naar de badkamer. Haar mond zakt open. Een bubbelbad!

Aan de muur hangen vijf verschillende soorten badschuim en er liggen schone, witte handdoeken.

Daan ploft op het bed. 'We lijken wel beroemd!'

Merel denkt aan No Time Left. Hoe zou het zijn als je elke dag in een hotel logeert?

'Dit is beter dan die blokhut die papa en mama hebben gehuurd,' zegt Daan.

'Waar zouden ze nu zijn?' vraagt Merel zich hardop af. Eigenlijk moeten ze hen bellen. Mama is vast doodongerust.

'Daan, wat is het nummer van papa en mama?' Merel pakt de telefoon, die op het nachtkastje staat.

Daan haalt zijn schouders op. 'Ik weet het niet uit mijn hoofd.'

'Hè?'

'Jij bent hier het wonderkind, hoor.' Daan laat zich achterovervallen in het dikke, witte kussen. Hij wikkelt het goudpapier van een chocolaatje en stopt het in zijn mond.

Merel negeert zijn gesmak en denkt na. Daans mobiel is leeg en die van haar zit in de weekendtas, naast Daans oplader.

'Hoe moeten we hen nu bereiken?' vraagt Merel.

'Dat willen we toch helemaal niet,' zegt Daan. 'Dan komen ze ons meteen halen.'

Merel denkt na. Daan heeft gelijk. Dan mist ze straks het concert!

'Laten we wat eten.' Daan trekt zijn rugzak dichterbij.

Merel bekijkt de menukaart, maar de prijzen duizelen haar. Zijn de hamburgers hier soms ook van goud?

Wacht eens… Ze kunnen hier helemaal niets bestellen! Dan weten ze dat ze een kamer hebben gepikt.

'Wat wil jij?' Daan houdt twee zakken chips en een paar chocoladerepen omhoog.

'Hoe kom je daar nou aan?' vraagt Merel verbaasd.

Daan lacht. 'Roomservice!'

Dan ziet Merel zijn rugzak. *Je weet nooit waar we terechtkomen.* Snoep, chipszakken, kauwgom, blikjes cola en zelfs een pot pindakaas komen uit zijn tas.

'Wat moet je hier nou weer mee?' Merel wijst op het broodbeleg.

'Voor de zekerheid,' zegt Daan. 'Ik wist niet zeker of ze pindakaas hadden in Engeland.'

Merel grinnikt. 'Vreetzak.'

'Dan niet.' Daan trekt al het eten naar zich toe. 'Dan ga jij toch lekker op je drumstokjes kauwen.'

Merel trommelt op het raamkozijn, de verwarming, het salon-
tafeltje en de stoelleuning. Hoe ging het ritme van No Time
Left ook alweer? Voor de vakantie heeft ze hun grootste hit
mogen spelen bij drumles. Het was een ingewikkeld ritme, met
veel versierinkjes.

'Hé, die vaas is net een drumbekken!'

Daan kijkt geïrriteerd op. Hij eet een zak chips en de kruimels
liggen verspreid over het dekbed.

'Houd eens op met dat stomme fantasiegetrommel!'

'Herken je het niet?' vraagt Merel. 'Het is *Three times in love*
van No Time Left.'

'Herrie dus,' zegt Daan en hij zakt wat verder onderuit. Met
de afstandsbediening klikt hij de televisie aan, die aan het voe-
teneinde hangt. De kamer vult zich met harde geluiden uit een
actiefilm.

'Jij snapt niets van muziek!' bijt Merel hem toe.

'Noem je dat muziek?' Daan lacht. 'Met een stuk hout op een
verwarming slaan, dat kan iedereen.'

Haar broer maakt haar altijd belachelijk als het om drummen
gaat. Alsof hij dat ritme zou kunnen spelen!

Merel kijkt boos uit het raam. Vanuit haar plekje in het kozijn
kan ze de portier met de gouden knopen zien staan. Hij heeft
een paraplu op tegen de regen.

Er komt een man met een fototoestel aan, die een foto van
het pand maakt. De portier zegt iets, maar de man blijft foto's
maken. Is dat soms iemand van de pers? Merel leunt naar voren.
De portier wordt boos en roept iets. Wat is er toch aan de hand?
Waarom mag die man geen foto's maken van het hotel?

*No Time Left speelt in een enorme zaal vol gillende fans. Merel
loopt zó naar de artiesteningang.*

'Hier komt niemand langs,' zegt een bewaker.

*'Ik heb een backstagepas,' zegt Merel en ze ritst haar rugzak open.
In de verte hoort ze Zac roffelen alsof hij het net zo spannend vindt
als zij. Nog even en ze staat voor zijn neus.*

'Ik heb hem hier ergens.' Merel wroet in de tas en trekt al haar spullen eruit, maar de portemonnee is nergens te vinden.

'Wil je weggaan, jongedame?' De bewaker begint zijn geduld te verliezen.

Waar is dat ding? Merel keert haar rugzak om. Ze voelt in het zijvak, maar daar zitten enkel haar drumstokjes en het tijdschrift. De pas is spoorloos verdwenen…

Merel wordt wakker op Zac. Het tijdschrift plakt aan haar wang en ze komt zwetend overeind.

Waar is ze? Hoe komt ze ineens in dit bed terecht? Merel slaat het warme dekbed van haar bezwete benen.

Naast haar ligt Daan in diepe slaap. Haar broer heeft een bruin chocoladespoor gekwijld op zijn witte kussen.

De pas! Merel springt uit bed en snelt naar Daans rugzak. Ze ritst het grote vak open en ziet tot haar grote opluchting de gebloemde portemonnee bovenop liggen. Ze haalt de backstagepas eruit en drukt haar lippen erop. Er is niks aan de hand, hij is er nog. Het was maar een droom.

'W-wat doe je?' vraagt Daan slaperig.

Het liefst had ze de backstagepas weer bij zich gestoken, maar dan krijgt Daan meteen argwaan.

Merel stopt de pas snel weer terug. 'Niets.'

Met een knorrende maag doet Merel de hotelkamerdeur achter zich dicht. Er is niemand op de gang, het is nog vroeg.

Zou er ontbijt zijn? Dat handjevol chips van gisteravond was geen avondeten te noemen. Merel voelt zich duizelig van de honger.

Merel gaat met de trap naar beneden en ziet een grote ontbijtzaal. Kan ze hier zomaar naar binnen? Wat nou als ze haar betrappen?

Merel kijkt om zich heen. In de hoek van de zaal staat een bewaker, vlak bij twee jongens. Hij houdt de boel goed in de gaten.

Merel loopt snel naar het buffet. Er zijn worstjes, bonen in tomatensaus, roerbakeieren en gek zwart spul. Wat zou dat zijn? Ze ontbijten hier heel anders dan thuis. Misschien is het maar goed dat Daan zijn eigen pindakaas heeft meegenomen.

Merels maag knort. Ze kijkt snel op, maar niemand let op haar. Ze ziet aan het eind van de tafel een schaal met croissantjes staan. Gelukkig, ook nog iets normaals. Ze neemt er twee en wil weer wegglippen, maar er staat plots een man voor haar neus.

'*Room key, please.*'

Ze is erbij! Merel laat met trillende handen de sleutel in haar hand zien.

De man knikt. '*Take a seat.*'

Moet ze gaan zitten? Hij gaat zeker de politie bellen? Nou, dan vlucht ze. Ze is de snelste bij gym, dus ze kan hun makkelijk voor blijven.

Maar Daan dan? Merel gaat met trillende handen zitten.

'*Would you like some tea?*' Een bediende kijkt haar aan.

Thee? Wacht eens… Ze denken dat ze gewoon een betalende hotelgast is!

Merel legt opgelucht haar twee croissants op het bord voor zich.

De jongen schenkt haar kopje vol en Merel kijkt verbaasd naar de pikzwarte thee. Hoe lang heeft dat theezakje er wel niet in gehangen?

'*Some milk?*' De bediende houdt het kannetje melk voor. O ja, hier drinken ze zwarte thee met melk. Ook al anders dan thuis.

Merel knikt. '*Yes, please.*'

'*There you go, love.*'

Love? Merel bloost. De bediende glimlacht en hij doet haar denken aan Jay. Dezelfde witte rij tanden.

Merel kijkt de jongen na, die naar het buffet loopt. Dit is nu al de tweede die met haar flirt. *Love.* En wéér zegt ze niets terug.

Merel spiekt voorzichtig naar het buffet. De jongen staat van een afstandje toe te kijken. Vindt hij haar knap?

Merel zet snel haar tanden in haar croissantje. Het is rustig in de ontbijtzaal. Naast haar zit een zakenman met een krant en bij de bewaker zitten de twee jongens met hun ruggen naar Merel toe.

Als ze opnieuw haar tanden in haar croissantje zet, denkt ze weer aan de nachtmerrie. Stel je voor dat ze de backstagepas écht kwijtraakt!

'Het was maar een droom,' probeert Merel zichzelf gerust te stellen.

Voor Louisa is dit geen droom, maar écht. Merel legt het croissantje kwaad neer. Waarom moet ze nou weer twijfelen? Ze is er toch over uit dat Louisa een soort Pip is? Die gunt ze zo'n pas helemaal niet!

Misschien is Louisa een enorme fan en is dit haar enige kans om de band te ontmoeten.

Merel schuift het ontbijtbord van zich af. 'Ophouden nu.'

De zakenman naast haar staat op en laat zijn krant liggen. Merels blik valt op de grote foto op de voorkant.

NO TIME LEFT IN TOWN!

Merel is Louisa in één keer vergeten. Ze grist de krant van tafel en leest de tekst die erbij staat. Jay, Liam en Zac zijn deze week aangekomen in Londen. De foto van de drie broers is gemaakt bij de Theems.

Merel buigt zich over de foto. Daar bij de rivier heeft ze gisteren nog gestaan!

Zacs haar is geknipt en hij heeft twee drumstokken in zijn handen. Liam draagt een stoere broek, met hangende bretels. Jay kijkt breed lachend in de camera.

Als Merel naar Zac kijkt, kruipt haar ademhaling naar boven, alsof ze weer in het reuzenrad zit. Zou hij er vanavond ook zo knap uitzien? Het nieuwe kapsel staat hem geweldig.

'Ik wil je ontmoeten,' fluistert Merel zachtjes. Ze denkt aan haar poster thuis. Ze wil de echte versie zien, niet die van papier.

Merel schuift haar stoel naar achteren en staat op. Aan de

andere kant van de ontbijtzaal doen de twee andere hotelgasten hetzelfde. De bewaker loopt met hen mee richting de lift.

Zal zij nog een croissantje meepakken? Anders heeft ze vanmiddag chips met pindakaas als lunch.

Bij het buffet schept een jongen zijn bord vol met bruine bonen, geklutste eieren en het gekke zwarte spul. Een powerontbijt, zou Daan zeggen, maar Merel wordt er misselijk van. Ze wikkelt een croissantje in een servet en loopt naar de lift, maar die is intussen omhoog.

Merel denkt na. Zal ze Daan wakker maken? Maar hoe langer hij slaapt, hoe beter. Nog maar twaalf uur tot het concert begint.

Ze draait zich om en loopt richting de uitgang. Voor de receptie staat iemand uit te checken en Merel glipt er ongezien langs.

In welke buurt zitten ze nu eigenlijk? Misschien kan ze vanaf hier wel naar dat enorme warenhuis lopen. Ze had het er laatst met Emma over. Daar verkopen ze vast en zeker die gave No Time Left-shirts die in Nederland niet te krijgen zijn.

Merel duwt zichzelf de draaideur door, maar dan schrikt ze. Op de stoep voor het hotel staan tientallen fotografen, die klikken zodra zij naar buiten stapt. Het lijken wel machinegeweerschoten, zo snel klikken ze. Merel schermt haar ogen af met haar handen, want de flitsen zijn fel.

'*Stop!*'

Dan valt het geklik stil en een paar fotografen lachen. Merel haalt voorzichtig haar hand weg en kijkt naar de mannen voor haar. Ze herkent de fotograaf van gisteravond. Heeft hij hier de hele nacht gestaan?

'*What's going on?*' vraagt ze aan hem.

De man knikt richting het hotel. '*A famous band.*'

Een beroemde band. Zie je wel, hij is dus van de pers. In Nederland heb je ook opdringerige fotografen, maar in Engeland staan de paparazzi bekend als echte monsters. Overal waar beroemdheden komen, liggen ze in de bosjes. Merel heeft wel eens een foto van Zac gezien, terwijl hij samen met Liam en Jay

een ijsje at. De foto was overduidelijk van een afstandje geno-
men en de broers hadden niks in de gaten.

Merel kijkt naar het hotel. Wie zou er achter die gordijnen
zitten?

'*Which band?*' vraagt ze.

Hij laat zijn fototoestel even zakken. '*No Time Left.*'

Je hebt hem wakker gemaakt!

'No Time Left,' stamelt Merel. Haar hoofd tolt.

Die jongens in de ontbijtzaal... Ze zaten met hun rug naar haar toe, maar waren dat Jay en Liam? En Zac dan?

Naast Merel en de zakenman was er niemand aan het eten.

Toch wel... de jongen met het powerontbijt! Hij droeg een legergroen shirt met een spijkerbroek. Heeft ze zijn gezicht gezien? Dan denkt Merel aan de foto in de krant. Zijn nieuwe kapsel!

Merels gedachten gaan allemaal door elkaar, alsof er met een soeplepel in haar geheugen wordt geroerd.

Hoe kan ze zo stom zijn? No Time Left, op nog geen vijf meter afstand!

'*There they are!*' De fotograaf duwt Merel opzij en begint weer te klikken. De anderen volgen zijn voorbeeld.

Merels blik schiet naar de ingang. Drie beroemde hoofden steken boven de menigte uit. Zac met zijn nieuwe kapsel, Liam en Jay. Nu herkent ze hen meteen.

'Zac!' gilt Merel. Ze probeert zich tussen twee fotografen door te wurmen, maar de mannen duwen net zo hard terug. Iedereen wil de perfecte foto van het drietal.

'Zac!' gilt Merel nog een keer. Ze glipt tussen een paar fotografen door. Nog een paar meter. Ze ziet Jay vriendelijk naar de fotografen lachen en Liam steekt zijn hand op. Hij draagt de bekende kettinkjes en een leren jack. Wat zijn ze knap in het echt!

Zac staat nog bij de ingang en heeft een tas bij zich. Twee drumstokjes steken uit een zijvak.

Drumstokjes... Ineens weet Merel hoe ze zijn aandacht moet trekken. Ze vist haar stokjes uit haar rugzak en begint er wild mee te zwaaien.

'*Hi!*' Zac zwaait. Naar haar? Merel kan zijn gezicht niet meer zien, omdat er een fotograaf voor haar neus staat.

Er stopt een taxi voor de deur en een vrouw begeleidt Zac richting de auto. Ze schermt hem zo veel mogelijk af. Het enige wat Merel ziet is haar rug. De bewaker van vanochtend dwingt een paar fotografen en Merel naar achteren te gaan.

'*Wait,*' roept Merel. Ze ziet Zacs hoofd in de taxi verdwijnen. Tientallen fotografen dringen rond de auto om nog een laatste foto te maken.

Als de auto gas geeft, rent Merel erachteraan. Een paar fotografen doen hetzelfde, maar het heeft geen zin. De drie broers verdwijnen uit het zicht.

Verslagen ploft Merel op het stoepje voor het hotel neer. Dat waren ze! Ze had bij hen aan de ontbijttafel kunnen gaan zitten, of Zac om zijn drumstokjes kunnen vragen. Maar in plaats daarvan was ze bezig met die stomme ober, terwijl de échte Jay verderop zat!

Merel voelt tranen in haar ogen prikken. Zac zwaaide nog, maar dat was niet naar haar. Hij heeft haar vast niet eens opgemerkt. Die stomme flitsen verblinden je.

Waarom heeft ze Zac niet herkend aan het ontbijt? Dat hij een ander kapsel had, is toch geen excuus? Ze had harder moeten knokken net. Desnoods had ze de fotografen een klap moeten verkopen. Zij duwden haar toch ook opzij? Ze is een fan van niks.

Merel haalt het croissantje uit haar rugzak. Als ze dat niet had gehaald, was ze bij Jay en Liam in de lift gestapt. Moet je voorstellen… Dan had ze het niet erg gevonden als ze vast kwamen te zitten. De hele middag opgesloten worden met twee No Time Lefters, iets beters kan ze zich niet voorstellen. Wat had ze hun dan allemaal gevraagd? Misschien was ze wel flauwgevallen. Merel ziet Liam voor zich, terwijl hij bezorgd boven haar hangt.

Allemaal de schuld van die stomme croissant! Ze smijt het ding op straat en zet haar gymp erop. Haar voeten wrijven net zo lang heen en weer tot de croissant en het servet helemaal verkruimeld zijn.

'Merel!' Daan wurmt zich door de draaideur en komt op haar afgerend. Zijn haren staan alle kanten op en hij heeft al hun spullen bij zich.

Merel veegt snel haar tranen uit haar ogen.

'Waar was je nou?' Daans chocoladespoor zit nog steeds op zijn wang. 'Ik heb overal gezocht! Zelfs in de ontbijtzaal.'

'Jij denkt ook alleen maar aan eten!'

'Waar heb jij last van?' vraagt Daan verbaasd.

'Ik ben misselijk,' zegt Merel. Het is niet eens gelogen. Ze boert de smaak van thee met melk op.

De fotografen om hen heen druipen langzaam af. Het valt Daan niet eens op dat er net iets heel bijzonders gebeurd is. Op de plek waar ze nu zitten, stapte Zac in de auto. Hij stond hier, precies hier. Merel voelt weer tranen branden. Zo dichtbij is ze nog nooit geweest, maar ze heeft het verpest.

Boven in de dubbeldekker kan Merel het hele verkeer overzien. Ze rijden langs mooie oude gebouwen en door een winkelstraat, maar Merel kan er niet meer van genieten. Ze ziet elke keer Zac voor zich, zwaaiend naar de fotografen. Waarom is het haar niet gelukt om zijn aandacht te trekken?

Merel kijkt naar haar drumstokken. De verwarming van de hotelkamer heeft haar sporen nagelaten. Ze had nu zíjn stokken kunnen hebben!

'Denk je dat we wat gaan vinden in dat café?' vraagt Daan.

Merel denkt aan het bonnetje uit Louisa's portemonnee. Zij heeft met vrienden bij een café een broodje gegeten. Maar dat is al even geleden. Waarom zou iemand in dat café nog weten wie zij is? Het is een doodlopend spoor, dat weet Merel zeker. Nog twee dode sporen en het is avond.

Ze krijgt nog één kans om Jay, Liam en Zac te zien en daar heeft ze alles voor over.

Merel denkt aan de fotografen, die haar zomaar opzij duwden. Zij doen dit alleen maar voor het geld!

Merel balt haar vuisten. Ze laat zich niet nog een keer uit het veld slaan, door niemand niet. Het is erg voor Daan, maar ze gaan Louisa niet vinden. Die pas is voor haar!

Merel negeert het knagende schuldgevoel. Louisa is gewoon dom geweest. Zo'n pas raak je toch niet kwijt? Bovendien heeft Merel hem eerlijk gevonden.

Het blijft stelen, zegt de stem in haar hoofd weer, maar dan ziet Merel de drie broers plotseling weer. Aan de gevel van een winkelcentrum hangt een gigantisch reclamedoek.

Het is met touwen strak gespannen en de datum van vandaag staat er groot boven. NO TIME LEFT ON TOUR.

De bus remt af voor een stoplicht. Daan… Hij mag dit niet zien! Merel draait zich naar haar broer.

'Wat?' vraagt hij.

'Eh…' stamelt Merel. Ze moet iets bedenken, voordat haar broer het doek ziet!

Op dat moment komt er een jongen het bovendek van de bus in. Het lijkt wel of Merel hem besteld heeft, want hij is een perfecte aandachtafleider.

Ze stoot Daan snel aan en wijst. De jongen lijkt weggelopen uit een film. Hij heeft een pikzwarte hanenkam en er glinsteren vijf ringetjes in elk oor. Een van zijn oorpiercings zit met een klein kettinkje vast aan zijn neus. Hij heeft muziek op en zingt mee. Het lijkt hem niets te kunnen schelen dat iedereen hem kan horen.

'Wow,' zegt Daan. 'Wat een freak.'

'Ik vind het gaaf.' Merel kijkt met één oog naar het reclamedoek. Waarom rijdt de bus niet verder? Daan hoeft zich maar terug te draaien…

'Ik wil ook een piercing.'

Het werkt: Daan kijkt haar met open mond aan. 'Jij?! Waar?'

'In mijn neus.' Merel doet het geluid van een koe na.

'Zo'n grote ring.'

Daan zucht. 'Doe normaal.'

De bus begint weer te rijden en Merel haalt opgelucht adem. Nu kan ze op haar gemak de jongen bekijken. Hij is minstens achttien. Zijn hanenkam staat stijf overeind en hij zingt best goed. Als Merel meezingt met No Time Left, moet haar vriendin altijd lachen.

'Je zingt knettervals!' zei Emma laatst.

Merel had haar schouders opgehaald. 'Drummers hoeven niet te kunnen zingen.'

Maar Zac doet het wel. Als híj zingt, krijgt Merel kippenvel over haar hele lijf. Zac zingt alsof zijn leven ervan afhangt, vol overgave, en vaak met zijn ogen dicht.

Deze jongen heeft zijn ogen ook gesloten en zingt steeds harder. Het is zeker rockmuziek, want hij doet net of hij een gitaar vastheeft.

'Niet zo staren!' Daan trekt Merel terug op de bank.

Merel stoot haar hoofd tegen een stang. 'Au!'

Nu doet de jongen zijn ogen open en kijkt naar haar en Daan.

'Zie je wat je doet?' Daan kijkt uit het raam. 'Je hebt hem wakker gemaakt.'

'Doe normaal,' zegt Merel.

'Hij is knettergek,' zegt Daan.

'*Hi.*' Ineens ploft de jongen op de bank naast Merel.

'*H-hi,*' zegt Merel. Ze is verbaasd dat ze nog geluid uit haar keel krijgt.

'*Tourists?*' vraagt hij. Merel hoort de harde gitaren uit zijn oordopjes schallen. Van dichtbij kan ze het kettinkje aan zijn neus goed zien. Stel je voor dat hij ergens aan blijft haken...

Merel knikt. '*Y-you?*'

Wat doet ze nou? Ze durft nooit iets tegen jongens te zeggen, maar nu stelt ze zomaar een vraag terug aan een wildvreemde. En wat voor één!

'Stil nou.' Daan stoot haar aan. 'Je brengt ons in de proble-men!'

De jongen trekt zijn gepiercete wenkbrauw op. Merel is blij dat hij haar broer niet kan verstaan.

'We zijn er,' zegt Daan en hij trekt Merel mee naar beneden. De bus remt af en ze stappen uit. Daan houdt Merel bij haar pols vast en trekt haar weg van de halte.

'Waarom deed je dat nou?' zegt hij boos. 'Je ziet toch meteen dat die gast niet spoort?'

Merel moet Daan gelijk geven, maar hij was de perfecte afleiding van dat enorme reclamedoek. Daan weet nog altijd niet dat de band in de stad is.

Dan ziet Merel de jongen op hen aflopen. Is hij hen gevolgd?

De jongen blijft achter Daan staan. 'Hé, kan ik…'

'Nu even niet,' zegt Daan boos. Hij richt zich weer op Merel, maar dan zakt zijn mond open. 'O.'

Merels ogen worden groot. Hij spreekt Nederlands!

De jongen grijnst naar Daan, die een knalrode kop krijgt.

'O,' zegt Daan nog een keer. 'Ik wist niet…'

De jongen lacht. 'Tsja, hoe zei je het ook alweer? Jullie hebben me wakker gemaakt.'

Dubbeldekker Daan

'Ben je gek geworden?' sist Daan. 'Je gaat hem toch niet om de weg vragen?!'

Merel loopt met haar broer achter de jongen aan. Hij weet waar het café is, heeft hij gezegd. En nu gaat hij hun voor door de drukke straten.

De jongen zingt luidkeels en zwaait met zijn armen. Hij geeft een heel concert in zijn eentje. De mensen op straat kijken hem verbaasd na.

Hoe lang lopen ze nu al? De jongen heeft zo te zien geen idee waar hij heen moet. Zelfs zijn loopje is raar, alsof hij één mank been heeft.

Maar dan staat de jongen plotseling stil. '*Final stop.*' Hij maakt een diepe buiging en zwaait met zijn arm richting de deur. Merel herkent de naam van het bonnetje. Hè jammer, hij wist de weg dus wel. Merel zag zichzelf en Daan al verdwalen in Londen, met de slechtste gids van de stad.

'Bedankt.' Daan wil naar binnen lopen zonder afscheid te nemen, maar Merel houdt haar broer tegen. Deze jongen kan voor vreselijke vertraging zorgen…

'Wil je mee wat drinken?' vraagt Merel.

De jongen kijkt verrast op. '*Fine.*'

Daan doet met tegenzin een stap opzij. Als de jongen binnen is, kijkt hij Merel boos aan.

'Wat dóé je?'

Heeft hij door wat Merel probeert? Ze moet blijven doen alsof ze Louisa wil vinden.

'Deze jongen kan ons helpen,' zegt Merel daarom maar.

'Híj?' Daan kijkt schichtig om, om te zien of de jongen niet opnieuw achter hem staat.

'Londen is even groot als de provincie Utrecht,' herhaalt Merel. 'We hebben hem nodig.'

De jongen slurpt zijn koffie naar binnen. Hij maakt zo veel lawaai, alsof hij het laatste restje milkshake met een rietje drinkt. Een paar mensen kijken op van hun krant.

Het is een gezellig cafeetje met donkere tafels en mozaïeklampen aan het plafond.

Merel neemt een slok van haar thee. Met melk erbij is het best lekker. Haar misselijkheid van net is bijna verdwenen. Ze ruikt een nieuwe kans!

Daan geeft Merel een ongeduldige schop onder tafel.

'We hebben een portemonnee gevonden,' begint Merel.

De jongen reageert niet, maar neuriet mee met de muziek uit het café.

'Op het station in Brussel.'

De jongen slurpt verder.

'We weten niet van wie hij is.'

De jongen zet zijn koffie neer. Even denkt Merel dat ze zijn aandacht heeft, maar dan trekt hij een suikerzakje open en gooit het erin. Met trage bewegingen begint hij te roeren. Hij is zo langzaam dat Merel er bijna van in de lach schiet. Nog even en het is avond!

Daan schuift heen en weer op zijn stoel. 'Er zitten een paar vreemde dingen in de portemonnee.'

'Een bonnetje van hier,' zegt Merel. 'En een kaartje van het reuzenrad.'

De jongen brengt het kopje weer naar zijn lippen. Verstaat hij hen niet? Maar hij sprak net écht Nederlands!

'Er zat ook een backstagepas in.'

De jongen kijkt op. Hij heeft donkerbruine ogen, bijna dezelfde kleur als die van Zac.

'Mag ik hem eens zien?' vraagt hij dan.

Merel knikt en haalt Daans rugzak tevoorschijn. Ze legt de gebloemde portemonnee op tafel.

De jongen slaat hem open. Bij het zien van de backstagepas maakt Merels hart een sprongetje, alsof ze hem voor het eerst ziet.

De jongen trekt de pas eruit en bekijkt hem van alle kanten. Wat als hij nu wegrent? Dan is ze hem kwijt!

Het liefst had Merel de pas meteen teruggetrokken.

De jongen stalt alles uit de portemonnee op tafel. Zijn mondhoeken gaan omhoog bij het zien van de pasfoto.

Herkent hij haar?! Merel wringt haar handen in elkaar. Dit kan niet waar zijn!

'Dus haar zoeken jullie?' vraagt hij.

'Wat dacht je dan?' zegt Daan. 'Ze moet die portemonnee terugkrijgen.'

Maar dan schudt de jongen zijn hoofd. 'Sorry, nooit gezien.'

Onder tafel ontspant Merel haar handen.

'*LG,*' zegt de jongen. '*I know this tattoo.*'

Daan gaat wat rechter zitten. Zijn ogen glimmen. 'Je kent haar dus wel?'

De jongen schudt zijn hoofd. '*No.*'

Daan zucht geïrriteerd. 'Maar je zegt dat je de tattoo herkent!'

De jongen knikt langzaam. Hij brengt zijn kopje naar zijn lippen en neemt nog een slurpende slok. Merel tikt nerveus met haar gymp op de grond. Weet deze jongen waar ze Louisa kunnen vinden, of is hij gewoon een vreemde vogel? Ze hoopt het laatste.

Dan zet de jongen zijn kopje op het schoteltje. Hij mompelt iets in het Engels en kijkt naar het plafond, alsof hij bidt.

Blijft het hierbij? Maar dan kijkt de jongen hen weer aan.

'Ik weet waar die meid haar tatoeage heeft gezet.'

Daans mond zakt open. 'Waar?'

Merels croissantjes van vanochtend komen bijna weer omhoog. Als deze jongen hun een spoor geeft, vinden ze Louisa vóór het concert begint!

De jongen staat op. Hij draait zich om en loopt zonder iets te zeggen naar de toiletten.

Daan kijkt hem verbluft na. 'Wat gaat hij nou doen?'

'Plassen, denk ik.' Merel voelt een sprankje hoop. De jongen is maf, zoals Daan zei. Natuurlijk weet hij niet waar Louisa die tattoo heeft laten zetten, hij zegt maar wat. Deze jongen laat hun straks half Londen zien, op weg naar de zogenaamde tattooshop. Nog even en No Time Left is binnen handbereik!

'We gaan naar Ashford,' zegt Daan, terwijl hij de portemonnee van Louisa weer in zijn rugzak stopt. 'Dit heeft helemaal geen zin.'

'We moeten hem toch een kans geven,' zegt Merel.

'Hij is knettergek,' zegt Daan. 'Hij praat alle talen door elkaar!'

Merel probeert haar lach te verbergen. 'Hij kan gewoon niet kiezen.'

Daan snuift. 'We weten niets van hem. Niet eens hoe hij heet.'

'Zullen we gaan?' De jongen staat plotseling achter hen. 'En ik heet Alfie.'

Alfie? Merel bekijkt hem nog eens goed. Ze had eerder Igor of Roy verwacht. Alfie klinkt veel te soft.

'Ik ben Merel, en dit is Daan.'

'Dubbeldekker Daan.' Alfie grinnikt. 'Dat ga ik wel onthouden.'

Alfie zigzagt door de buurt. Af en toe moeten Daan en Merel een sprintje trekken om hem bij te houden.

Alfie zet opnieuw een liedje in, met lage stem. Het is meer een soort gebrom, maar dan hard. Een groepje meisjes giechelt als hij langsloopt.

Alfie springt over elk putdeksel en steekt de straat over zonder te kijken. Zijn leren jack zwabbert om hem heen. Eigenlijk zou Merel een foto moeten maken voor Emma. Ze weet zeker dat haar vriendin die piercings geweldig vindt. Alfie heeft dezelfde ogen als Zac, maar in een heel ander gezicht. Hij ziet er gevaarlijk uit, maar zijn ogen zijn zacht en warm. Bovendien doet hij wat Merel nooit durft: zingen op straat. Ze weet zeker dat Alfie wél snapt dat zij op verwarmingsbuizen drumt. Of tegen een poster praat. In Alfies wereld kan alles.

Dan houdt hij plotseling weer halt. Merel kijkt opzij.

Een winkel met een paarse deur en een grote etalage.

'*Final stop,*' zegt Alfie en hij buigt opnieuw.

In de etalage staat een rek met allerlei piercings. Staafjes, ringetjes en knopjes.

Alfie gaat hun voor naar binnen. Er klinkt een belletje als ze door de deur stappen.

'Die oorbellen!' sist Daan.

Merel kijkt naar de ronde oorbellen van een tatoeëerder. Ze zijn groot en hebben een gapend gat in het midden.

'Dat zijn tunnels,' fluistert ze. 'Die rekken het gaatje op.'

'Dat weet ik heus wel.' Daan gruwelt.

Merel kijkt om zich heen. De muren bestaan uit smetteloos witte tegels en er staat een grote stoel waar een vrouw in zit. De man met de tunnels is met een trillende naald bij haar enkel bezig. Merel heeft nog nooit een tatoeëerder aan het werk gezien. Ze had de naald groter verwacht, maar het zoemende geluid bezorgt haar koude rillingen.

'Kijk.' Alfie wijst op de foto's aan de muur. Lettertatoeages. De letters zijn heel speciaal, bijna symbolen. Het zijn dezelfde als die van LG.

Merel laat haar ogen over de foto's gaan. En dan ziet ze een foto waar haar hart van overslaat. Een vrouwenhals met twee duidelijke letters in de nek.

LG.

This is your lucky day!

'Dat is haar!' roept Daan.

Het voelt alsof de vloer onder Merels voeten wegzakt. Dit kan toch niet waar zijn? De kans dat ze Louisa zouden vinden leek zó klein, maar nu kijken ze naar een foto van haar nek. LG, het kan niet missen.

'We weten toch helemaal niet zeker dat zij het is?' probeert Merel zwakjes.

'Dat zie je toch,' zegt Daan. 'Precies als op de foto!'

Merel voelt paniek opborrelen. Ze moet iets doen, nu!

'Het is haar niet,' zegt ze. 'Dat weet ik zeker.'

Daan negeert haar compleet en draait zich om naar Alfie. 'Waar kunnen we haar vinden?'

'Ik zal eens vragen.' Alfie loopt naar de tatoeëerder. Merel hoort hem wat vragen en hij wijst op de foto. Het is nog niet verloren. Waarom zou die man zich Louisa nog herinneren? Zo opvallend is haar tatoeage niet. Merel kijkt naar de rij foto's. Half Londen loopt ermee! Daarom wist Alfie dus uit welke shop die tattoo kwam. Die letters zijn de specialiteit van deze tattooshop.

Het lijkt een eeuwigheid te duren, maar dan komt Alfie terug.

'*This is your lucky day!*' Alfie lacht. 'Ik heb een adres.'

'*Let's go*,' zegt Alfie, als ze weer op straat staan. 'Ik weet de weg.'

Zonder iets te zeggen gaat hij hun voor. Merel kan nauwelijks nog op haar benen staan. Ze voelt zich verloren, alsof ze aan het eind van een marathon kramp krijgt en moet opgeven. Ze heeft het zo lang volgehouden. Nu moet ze op het laatste moment de pas afstaan. En dat terwijl No Time Left over een paar uur optreedt!

Stomme Alfie. Waarom is hij zo'n goede speurneus?

'We moeten van hem af,' zegt Daan plotseling.

Merel kijkt verbaasd op. Het lijkt wel of hij haar heeft horen denken!

'O,' zegt ze alleen maar.

'Moet je hem nou zien!'

Merel kijkt naar Alfie, die zingend op een meisje van een jaar of vijftien af loopt. Hij gaat op zijn knieën op de stoeptegels zitten en zingt het hele liedje af. Merel weet niet meer waar ze moet kijken. Vindt het meisje het nou leuk? Daan heeft wel een beetje gelijk; Alfie is een rare.

Maar stel je voor dat het Zac was, die voor Merel op zijn knieën zou gaan! Zou ze flauwvallen? Zeker weten!

Maar ja, ze krijgt Zac niet eens te zíén. Als het zo doorgaat, hebben ze Louisa binnen een uur gevonden en is ze de backstagepas voorgoed kwijt.

'Je hebt gelijk,' zegt Merel tegen haar broer. Het is lullig, maar het kan niet anders. Ze roept Alfie.

'We…' zegt Merel, als hij voor haar neus staat.

Hoe moet ze dit zeggen? Met Daan kan ze nog wel verdwalen, maar met Alfie erbij gaat dat niet lukken. Hij brengt hen vast tot Louisa's voordeur.

Eigenlijk wil ze helemaal niet dat hij gaat. Ze heeft nog nooit zo iemand als Alfie ontmoet. Hij durft alles en schaamt zich nergens voor. Bovendien is hij veel aardiger dan hij lijkt, met zijn hanenkam en piercings.

'We gaan alleen verder,' zegt ze met trillende stem.

Alfie knikt langzaam. 'Oké.'

Dat is alles. Merel voelt een brok in haar keel. Alleen maar omdat zij Zac zo nodig wil ontmoeten. Ze liegt tegen Daan en stuurt Alfie weg. Is dat het allemaal wel waard?

'We gaan.' Daan loopt verder.

'Sorry,' zegt Merel tegen Alfie.

Alfie glimlacht. '*Don't worry.*'

'Kom nou,' roept Daan ongeduldig over zijn schouder.

Alfie haalt een blaadje uit zijn zak en schrijft er iets op. Zijn handschrift is hanenpotig en Merel kan Alfies adres maar net ontcijferen. Erboven staat het adres van Louisa.

'Dat van mij is voor als je hulp nodig hebt.'

Merel weet niet meer waar ze moet kijken. Alfie mag dan een *weirdo* zijn, hij is hartstikke aardig.

'Bedankt.'

Alfie knikt. '*Good luck.*'

De huizen om Merel heen worden steeds extremer. Net was het alleen een paarse deur, maar hier zijn de panden in allerlei kleuren geverfd. Overal waar Merel kijkt, ziet ze graffiti. Boven een schoenenzaak hangt een gigantische laars aan de muur, beschilderd met de Engelse vlag.

Ze zijn nog steeds op zoek naar de straat die Alfie noemde. Louisa heeft een eigen atelier, vertelde de tatoeëerder.

Merel kijkt naar Daan, die in een hoog tempo door de straten loopt. Intussen propt hij een broodje naar binnen, dat hij net bij een kiosk heeft gekocht. Louisa's portemonnee raakt steeds leger.

Weet haar broer waar ze heen moeten? Straks staan ze voor Louisa's neus! Merel moet tijdrekken. Ze blijft staan.

Daan draait zich om. 'Wat doe je?'

'We zien Alfie nooit meer terug.'

Daan haalt zijn schouders op. 'Dus?'

'Vind je dat niet erg?'

'Nee.'

'Zullen we een keer bij hem op bezoek gaan?' Merel laat het briefje zien. 'Ik heb zijn adres.'

'Nee.'

'Ik had hem bij mijn band willen vragen,' zegt Merel. Zodra ze het zegt, voelt ze ineens dat ze dat écht wilde.

'Jij? Een bánd?' Daan proest. 'Met die *creep*?'

'Hij heet Alfie,' zegt Merel. 'En waarom niet?'

'Omdat die jongen alleen luchtgitaar speelt,' zegt Daan.

'Doe niet zo gemeen.'

Daan zucht. 'Val je op hem, of zo?'

Merel voelt haar wangen kleuren. 'Natuurlijk niet.'

'Wel waar!' Daan lacht. 'Je vindt hem een LD!'

'Houd je kop.'

'Hij lijkt niet op Zak,' zegt Daan.

'*Zac!*' Merel stompt haar broer tegen zijn schouder.

'Au.' Daan lacht. 'Rustig maar!'

Ze kruisen een groepje Alfie-klonen. Een jongen met een hanenkam doet Merel zo aan hem denken dat ze bijna over een losliggende stoeptegel struikelt.

Ze mist Alfie nu al. Hij kent Londen, het voelde veilig. Nu zijn ze weer met z'n tweeën.

Weet je zeker dat je hem niet mist om een andere reden? Merel schudt haar hoofd. Gaat ze nou twijfelen door die stomme opmerking van Daan? Ze valt heus niet op Alfie.

Ze kan zich nu beter bezighouden met Daan. Hij is een ramp met kaartlezen, dat is haar enige voordeel. Maar ze kan het lot ook nog een handje helpen...

'Mag ik de kaart?' vraagt ze, als Daan een steegje ingaat.

'Waarom?'

'Dan kan ik zien of we wel goed lopen.' *En als dat zo is, gaan we snel de andere kant op!*

Daan zucht geïrriteerd. 'Jij bent heus niet de enige die de weg kan vinden.'

Het steegje is zo smal dat het zonlicht nauwelijks zijn weg weet te vinden. De donkere bakstenen maken het er niet beter op.

'Waar zijn we?' vraagt Merel.

'We snijden zo een heel stuk af,' zegt Daan. 'Kom nou maar.'

Dan wordt Merel plotseling ruw opzij geduwd. Ze valt met haar knieën op de straatstenen.

Daan schreeuwt. 'Hé!'

Merel kijkt op en ziet een man wegrennen met Daans rugzak. Het duurt één seconde, maar dan beseft ze het. De backstagepas!

Ben je gek geworden?

Merel springt overeind en zet de achtervolging in. 'Merel, wacht!' Daan komt achter haar aan, maar Merel heeft alleen nog oog voor de dief, die een paar meter voor haar rent. Ze móet de backstagepas terugpakken!

Merel rent voor twee auto's langs. Getoeter. Engelse scheldwoorden.

'Stop,' roept Merel. De dief schiet een steegje in. Ze moet hem inhalen, hoe dan ook.

Bij gym test de leraar hun conditie en Merel wint altijd. Zelfs de grootste jongens uit de klas kunnen haar niet bijhouden. Ze heeft een geheim trucje waardoor ze zo hard kan rennen. Haar klasgenoten moesten eens weten. Als ze de conditietest doet, denkt ze altijd aan de rotjongens van Daans school en dan krijgt ze vanzelf vleugels. Hoe bozer ze is, hoe harder ze rent.

Daar is hij! De dief rent richting de stoplichten, die op rood springen. Hij wacht niet, natuurlijk niet. Een boze automobilist hangt scheldend uit zijn raam.

Merel schiet snel voor de auto langs.

Haar benen doen pijn. Het voelt alsof ze elk moment uit de kom kunnen vliegen, zo hard rent ze.

Nog een klein stukje… Merel steekt haar hand uit en maakt een soort snoekduik naar de rugzak. Ze voelt een band en houdt hem stevig vast.

Ze hoort de dief roepen. En dan smakt Merel met haar kin tegen de straatstenen. Even wordt het zwart voor haar ogen. Ze voelt zich misselijk. Proeft ze nou bloed? Onder haar kraakt iets. Zijn haar botten gebroken?

Maar dan neemt de omgeving langzaam weer zijn gewone

vormen aan. Onder haar borst voelt Merel de rugzak. De zak chips kraakt. Het is haar gelukt!

'Merel!' De stem van Daan. 'Merel!'

Ze voelt twee armen onder haar oksels en dan wordt ze overeind gehesen. Een groepje mensen kijkt haar geschrokken aan.

Het was vast een gek gezicht. Ze dook als een keeper naar de rugzak.

'Ben je gek geworden?' roept Daan boos. 'Wat als hij een mes bij zich had gehad?'

Merel schrikt bij het idee. Dan had ze nu ergens bloedend in een steegje gelegen. Ze heeft er geen seconde bij stilgestaan.

'Waarom hield je die rugzak dan niet steviger vast?' Merel voelt dat ze boos wordt. Ze waren de pas bijna kwijtgeraakt! Dan waren ze net zo stom geweest als Louisa. Bovendien heeft ze nu beurse knieën en een kapotte kin.

Daan gooit zijn armen in de lucht. 'Ga je mij de schuld geven?'

'Ja!' Merel ritst zijn rugzak open. De portemonnee ligt boven op Daans voedselvoorraad. Ze heeft de backstagepas nog. Merel haalt opgelucht adem.

'Vanaf nu houd ik hem bij me.'

Ze lopen weer in de buurt met de felle kleuren. Merels kin klopt bij elke stap die ze zet, maar de backstagepas zit weer in haar rugzak, waar hij hoort. Ze voelt zich meteen tien keer beter.

'Ik wist niet dat jij zo hard kon lopen,' zegt Daan. 'Het leek wel de honderdmetersprint op de Olympische Spelen!'

Merel denkt aan de jongens van Daans school. 'Ik ben in mijn vorige leven een struisvogel geweest.'

'Zijn die zo snel?'

'Heel snel. Ze rennen soms wel zeventig kilometer per uur.'

'Hm,' bromt Daan. 'Ik ga niet eens meer vragen hoe je dit nou weer weet.'

Ineens staan ze voor de deur van het atelier. Door het gedoe met de dief is Merel helemaal vergeten om Daan de verkeerde kant op te sturen.

Ze kijkt om zich heen. Zal ze wegrennen? Ze heeft immers de backstagepas weer terug in haar eigen tas. De concerthal moet ze in haar eentje toch kunnen vinden?

Daan drukt alle vier de bellen in één keer in. De verschillende geluiden klinken als het begin van een liedje.

Dan zwaait de deur open. Merel kijkt een lege gang in.

'Hallo?' roept Daan, maar er komt geen antwoord.

Een steile trap gaat omhoog naar de eerste verdieping.

Daan wil naar binnen, maar Merel houdt hem tegen.

'Niet doen,' sist ze.

'Waarom niet?'

'Dat is inbreken.'

'Ze heeft opengedaan,' zegt Daan lachend.

'Waar is ze dan?'

'Boven, denk ik.'

'Ik vertrouw het niet.' Merel denkt na. Als ze naar boven gaan, is het voorbij.

Op haar horloge checkt ze de tijd. Nog vier uur tot het concert. Laat ze zich op het laatste moment verslaan?

'We weten helemaal niets van haar, misschien is ze wel een gek.'

'Zoals Alfie?' Daan stapt naar binnen.

Merel kijkt naar de straat. Als ze nu een sprintje trekt, houdt Daan haar nooit bij. Daarna kan ze de weg vragen aan iemand. Een concerthal die op een omgekeerde spin lijkt, moet hier bekend zijn.

Daan loopt de steile trap al op. Boven aan de trap verschijnt er nog altijd niemand.

Merel kijkt naar de treden, waar de verf op sommige plekken van afbladdert.

'Daan,' sist ze.

'Wat?' roept hij terug. 'Kom nou!'

Merel kan haar broer niet tegenhouden. Het enige wat ze nog kan doen, is hopen op een wonder. En wonderen bestaan, dat heeft ze deze twee dagen wel gemerkt.

Merel zet haar gymp op de onderste tree, die kraakt onder haar gewicht. Het lijkt wel een spookhuis hier, ook al is het licht en hangen nergens spinnenwebben. Het komt door de stilte. En wie heeft eigenlijk opengedaan?

Op de eerste verdieping bonkt Daan op twee deuren, maar er komt geen antwoord.

Merel voelt aan de klink van een deur, die tot haar verbazing gewoon opengaat. Ze stapt een lichte ruimte in met witte lakens op de vloer. Ze zijn besmeurd met rode verf.

Merel kijkt naar de schilderijen aan de muur. De kunstenaar heeft alleen zwart, wit en rood gebruikt. Heel veel rood. Het ziet er gruwelijk uit, als een gigantisch bloedbad. Heeft Louisa dit geschilderd?

Daan staat op de overloop. 'Nog verder naar boven?'

Wachten hun daar nog meer bloederige schilderijen?

Merel voelt een sprankje hoop. Misschien is Louisa hier niet. Misschien is ze toevallig een boodschap doen, of op vakantie. Haar portemonnee lag niet voor niets in Brussel-Zuid. Misschien was ze wel op weg naar Parijs. Of Amsterdam. Misschien heeft die conducteur haar wél betrapt zonder kaartje.

Merel gaat achter Daan aan naar boven. De tweede verdieping is heel anders dan de eerste. Het is één grote ruimte met schuine wanden. Op de houten balken zijn schetsen geprikt van gezichten.

Midden in de ruimte staat iemand met haar rug naar hen toe. Ze werkt aan een groot doek en heeft een kwast in haar hand. Het is een mooi schilderij, zonder bloedrode vegen.

Merels mond voelt droog aan. Daar staat ze. Dezelfde donkere krullen. Wonderen bestaan, maar niet nu.

'Hallo?' zegt Daan.

De vrouw draait zich om. Er gaat een schok door Merel heen. Geen bril en geen tatoeage. Bovendien is dit een vrouw, geen meisje meer.

Ze is het niet!

Nog eventjes geduld

'*Yes?*'

Merel staart naar de vrouw voor zich. Het lijkt wel alsof ze naar een oudere versie van Louisa kijkt. Het zou haar moeder kunnen zijn, maar ergens ook weer niet. Deze vrouw heeft een grover gezicht, met scherpe lijnen rond haar mond.

'*Shit,*' zegt Daan.

'*Excuse me?*' De vrouw kijkt hen verbaasd aan.

'*We are looking for this girl.*' Daan laat de foto van Louisa zien.

De vrouw knikt. '*She used to rent this place.*'

'Ze huurde het hier,' roept Daan. '*Where is she?*'

De vrouw haalt haar schouders op. '*No idea. Sorry.*'

'*Shit,*' zegt Daan weer.

'*Sorry,*' zegt Merel, terwijl in haar binnenste een vreugdekriebel naar buiten wil.

Daan draait zich om en dendert de trappen af. Merel gaat achter hem aan.

Buiten ploft hij op het stoepje neer en begraaft hij zijn hoofd in zijn handen.

'Dit was ons enige spoor!'

Geeft hij op? Merel gaat naast hem zitten. Ze probeert de kriebel in haar buik te negeren, maar haar hart klopt in haar keel. Het was Louisa niet! Over een paar uur is het concert al. Zal ze Daan zeggen dat ze de pas nu zelf wil gebruiken?

Merel kijkt naar haar broer. Hij ziet er verslagen uit. Misschien is dit niet het beste moment.

'Wat moeten we nu?' vraagt Daan.

Merel haalt haar schouders op. 'We hebben alles geprobeerd.'

Daan knikt. 'Dan gaan we naar het station en we geven de portemonnee aan de politie. Papa en mama zijn ons al meer dan een dag kwijt. Ik hoef niet de rest van mijn leven huisarrest.'

'Nee!' roept Merel. 'Ik geef niet op. Die tattoo klopt. We zijn heel dichtbij.'

Merel denkt aan de foto van Louisa en haar oma in haar broekzak. Ze kan hem eruit halen en aan Daan laten zien, dan vinden ze Louisa misschien nog op tijd. Maar zij dan? Daan wordt boos omdat ze de foto niet eerder heeft laten zien en zij gaat zonder Zacs drumstokken richting Ashford. Dan is alles voor niets geweest.

Nee, ze moet naar de concerthal. Daan zal het wel snappen als ze het hem rustig uitlegt.

Merel staat op. 'Zullen we wat leuks gaan doen?'

Daan kijkt verbaasd op. 'Wat dan?'

Merel denkt aan de concerthal. Vanuit het reuzenrad kon ze hem zien liggen. Hoe ver zou het zijn? Ze moeten sowieso de bus nemen, want ze zijn een heel andere kant opgegaan vanochtend.

'Dat is een verrassing.' Merel trekt haar broer overeind. Hoe krijgt ze hem zover dat ze naar het concert gaan? Hij ontploft!

Merel schudt haar hoofd. Eerst die hal vinden, de rest komt later wel.

'Gaan we scones eten?' vraagt Daan hoopvol.

Misschien zijn scones niet zo'n slecht idee. Met zijn mond vol, kan Daan in ieder geval niet tegen haar schreeuwen.

'Ja,' zegt Merel. 'Zo veel als je wilt.'

Merel kijkt op het kaartje van Londen. Ze kan de priegelige namen bij de haltes maar nét lezen. Daar is het reuzenrad, aan de Theems. Dus dan lag die hal... daar!

'We nemen deze dubbeldekker,' zegt Merel, als ze een bus aan ziet komen. Nog even en ze ziet No Time Left.

Wat moet ze eigenlijk tegen Zac zeggen als ze hem ziet? Straks vergeet ze spontaan alle Engelse woorden.

Misschien kan ze met hem van stokjes ruilen? Merel kijkt naar haar eigen stokken. Stel je voor, dan drumt hij straks met

die van haar! In een interview zal hij zeggen hoe hij eraan komt: *'From my biggest fan, Merel.'*
Wat zal Emma dan wel niet zeggen? Om maar te zwijgen over Pip. Die ziet vast groen van jaloezie.

Merel ziet het al voor zich hoe de drumstokken straks boven haar bed hangen. Ze gaat er in ieder geval niet mee drummen; stel je voor dat ze ze kwijtraakt!

De bus stopt voor hun voeten en Merel loopt naar boven. Voor in de bus hebben ze een prachtig uitzicht. Wat zal ze dit missen als ze straks weer in Nederland zijn! Hier is een busrit net een attractie.

Ze zitten op precies dezelfde plek als op de heenweg. Merel blikt naar achteren, maar Alfie is natuurlijk nergens te bekennen.

Ze voelt een steek van teleurstelling, maar die drukt ze snel weg. Het is goed dat Alfie er niet bij is. Hij had hen bij Louisa kunnen brengen, met die piercingspeurneus van hem.

Daan zakt onderuit en leunt tegen het glas. 'Maak me maar wakker als we er zijn.'

Zodra de bus begint te rijden, slaapt Daan al. Hij snurkt zachtjes als de bus een scherpe bocht neemt.

Merel kijkt naar een groepje meisjes op straat. Zouden die meisjes ook naar het concert gaan? In ieder geval niet backstage, zoals zij.

Merel ritst haar rugzak open en haalt de backstagepas uit de portemonnee. Ze kijkt even naar Daan, maar die slaapt diep.

Merel strijkt met haar vinger over de pas. *Nog eventjes geduld.*

Hoe lang droomt ze al van deze kans? Nu hij zo dichtbij is, kan ze niet meer wachten! Het voelt net als vroeger, vlak voor sinterklaasavond, maar dan nog honderd keer beter.

Merel trekt de foto van Louisa en haar oma uit haar broekzak. Ze heeft hem nog niet eens echt goed bekeken.

Louisa heeft haar arm om haar oma geslagen en ze kijken allebei vrolijk de lens in. Ondanks haar heftige tatoeage ziet Louisa er vriendelijk uit.

Merel denkt aan Alfie, die was net zo. Ruig vanbuiten, lief vanbinnen.

Merel pakt de foto tussen duim en wijsvinger beet. Ze kan er niet meer naar kijken.

'Sorry,' zegt Merel tegen de twee lachende gezichten.

Net als ze de foto wil verscheuren, schrikt ze op van Daan. | **71**

'Wat heb jij daar nou?'

Wat ben jij voor een fan?!

'Wat is dit?' Daan trekt de foto uit Merels hand. Nog voordat ze kan reageren heeft haar broer hem omgedraaid.

'*Louisa and granny Gordon,*' leest Daan hardop voor.

'Die lag hier op de grond,' zegt Merel snel.

'Maar…' Daan wijst verbaasd op het meisje van de foto. 'Dat is…'

'Geef terug.' Merel probeert de foto te pakken, maar Daan ontwijkt haar hand.

'Louisa Gordon?' Daan kijkt met grote ogen naar Merel.

Wat kan ze doen? Merel kijkt naar het raam, maar als ze nu naar buiten springt, overleeft ze het niet. Onder de banken kruipen helpt alleen tegen conducteurs.

'Hoe kom jij hieraan?'

'Dat zei ik toch al,' zegt Merel. Ze veegt haar klamme handen af aan haar spijkerbroek.

'Van de grond?'

Daan doet Merel denken aan de directeur van school, die kan ook zo streng kijken. Dan vergeet ze spontaan al haar smoezen.

'Ja.'

Waarom zei ze niet dat ze hem net in de portemonnee vond? Dat had Daan misschien nog geloofd, maar dít?

'Onzin! Waarom heb je dit niet eerder laten zien?'

Het is net of Merel verdoofd is. Ze kan niet meer denken. Haar enige houvast is de pas, die ze nog steeds in haar handen heeft.

Daan kijkt ernaar. 'Die backstagepas…'

Nee, nee, nee! Merel wil het gillen, maar er komt geen geluid meer uit haar keel.

'Jij wil haar helemaal niet vinden,' roept haar broer ongelovig.

'Het zal jou worst wezen!'
'Dat is niet zo,' zegt Merel zwakjes.
'Wat denk je nou?' gaat Daan door. 'Dat je recht hebt op die pas, of zo?'

Merel kijkt naar haar gympen. Ze rijden door de drukke straten van Londen, maar in de bus is het doodstil. Wat kan ze nog zeggen? Het enige voordeel is dat haar broer niet weet dat No Time Left in de stad is.

Op dat moment, alsof de chauffeur Merel wil pesten, rijden ze langs het grote reclamedoek.

De bus remt voor het stoplicht en Merel probeert niet te kijken, maar ze doet het toch. Eén seconde is genoeg om Daan haar blik te laten volgen.

Hij kijkt naar de hoofden van de drie jongens. NO TIME LEFT ON TOUR.

'Dus daarom…' Daan valt stil. Merel hóórt hem zowat denken. Kon ze zijn hersens maar stoppen, maar het is al te laat.

'Moesten we dáárom in Londen blijven?' vraagt Daan. Hij wacht het antwoord niet af. 'Jij wil met die backstagepas naar het concert!'

Iedereen in de bus staart hen aan, alsof ze een attractie zijn.

'Zou jij dat dan niet doen?' merkt Merel op.

'Wat ben jij een egoïstisch kreng.' Daan geeft geen antwoord. 'Jij kan alleen maar liegen!'

'Dat is niet waar.' Merel denkt aan Zac. Ze heeft het voor hem gedaan. Snapt haar broer dat dan niet?

'En Alfie? Zat die ook in je plan?'

Merel denkt aan zijn zwabberende jas en piercings. Was hij nu nog maar bij hen geweest, maar ze is alleen met haar boze broer.

'Alsof ze een meisje zomaar backstage laten.'

Merel kijkt naar de pas. 'Hiermee wel.'

'Voor een slimmerik ben je erg dom. De bewaking heeft meteen door dat dat ding niet van jou is.'

Merel haalt haar schouders op, maar wat als Daan gelijk heeft?

Daan lacht. 'Trouwens, denk je nou echt dat die drummer jou wil ontmoeten? Hij heeft wel wat beters te doen.'

Merel kijkt haar broer fel aan. 'Zac heeft anders wel naar me gezwaaid vanochtend.'

Het voelt goed om dat te zeggen, ook al is het niet helemaal waar.

'Vanochtend?'

'Ze sliepen in ons hotel,' gaat Merel verder. 'Dus ik heb met ze ontbeten terwijl jij lag te snurken.'

Daan snuift. 'Ja, hoor.'

'Daarom stonden al die paparazzi voor de deur.'

'Waarom heb je die pas dan nog nodig?' merkt Daan op. 'Je hebt toch al met ze ontbeten?'

'Ik...' zegt Merel. 'Ik herkende ze niet op tijd.'

Daan schiet in de lach. 'Wat ben jij voor een fan?!'

Merels hele lijf tintelt. Ze knijpt in de backstagepas. 'Donut Daan!'

De bus remt af voor een halte en Merel springt op van de bank. Ze dendert de trap af, met haar broer op de hielen.

'Hóé noem je me?' Daan springt achter haar aan naar buiten.

'Donut Daan!' Merel spuugt de naam er zowat uit.

Daan haalt uit. Voordat ze het weet, raakt zijn vlakke hand haar wang.

Merel rukt zich los. 'K... klootzak.'

'Wacht.' Daan wil haar tegenhouden, maar Merel zet het op een lopen. Weg van de bushalte, weg van haar broer.

Merel kijkt om zich heen. De drukte van het verkeer doet haar denken aan het treinstation van Londen. Ze kan niet nadenken met zo veel mensen om haar heen.

Merel slaat links af. Ze heeft geen idee waarheen, maar ze moet hier weg. Ze wil rustig blijven, maar haar ademhaling piept.

Ze is wel vaker kwaad op haar broer. Toen Daan een snorretje tekende op haar favoriete Zac-poster bijvoorbeeld. Soms lopen hun ruzies zo erg op, dat alle buren hen kunnen horen schreeuwen. Maar hij heeft haar nog nooit geslagen.

Merel gaat opnieuw linksaf. De drukte is in deze straat al minder. Toch blijft ze doorlopen. Ze heeft geen zin om stil te staan, want dan begint ze vast te huilen. Er prikken nu al tranen in haar ogen.

Merel steekt een zebrapad over en vanaf de stoep begint ze te rennen. Haar woede moet eruit. Ze schiet tussen een groepje toeristen door. Rechtsaf, linksaf, langs winkels en langs een parkje.

Op een van de reclamezuilen hangt een poster van No Time Left. Merel staat meteen stil en kijkt naar de glimlach van Zac. Ze heeft al zo vaak naar hem gekeken dat ze het gevoel heeft dat ze hem kent. Ze vertelt haar posters thuis alles. En ze weet álles van Zac. Zijn lievelingseten, waarom hij is gaan drummen en wat hij zoekt in een meisje. Emma plaagt Merel wel eens, want Zacs beschrijving van zijn droommeisje leek als twee druppels water op Merel. Hij vindt sproeten leuk en hij valt op blond haar. Verder moet zijn vriendin avontuurlijk zijn en iets weten van muziek.

'Ik weet alles van jou,' fluistert Merel tegen de poster. Ze wrijft over Zacs papieren haar, maar het blijft voor zijn ogen hangen. 'Alleen weet jij niets van mij.'

Het is net als thuis. Op de poster in haar kamer blijft Zac haar altijd vriendelijk toelachen, ook als ze vertelt dat Daan met een bloedneus is thuisgekomen.

Ze tast naar haar wang, die branderig aanvoelt. Hoe durft Daan haar te slaan? Wacht maar tot papa en mama dit horen! Merel slikt een paar keer, maar er blijft een brok halverwege haar keel hangen.

'Wat moet ik nou?' Ineens maakt Zacs glimlach haar razend. Ze schopt tegen de reclamezuil. 'Zeg dan wat!'

Aan de overkant kijken een jongen en een meisje naar haar,

maar Merel negeert hen. Zelfs de beginnende regen kan haar niets schelen.

'Het enige wat ik wil is jou ontmoeten.' Merel schopt nog een keer. 'Is dat dan te veel gevraagd?'

Merel pakt een stukje van de poster beet en geeft een flinke ruk aan het papier. De broers scheuren doormidden, maar dan heeft ze de bovenste helft van Zacs gezicht in haar hand. Zijn bruine ogen kijken haar nog altijd vriendelijk aan.

Het begint harder te regenen. De koude druppels glijden langs Merels wangen naar beneden. Ze moet schuilen, voordat ze drijfnat is.

Bij de dichtstbijzijnde bushalte gaat ze op het bankje zitten. Ze stopt Zac in haar rugzak en bekijkt de bussen die langskomen.

Weglopen is makkelijk, maar hoe komt ze bij die concerthal? Bovendien durft ze niet in haar eentje te gaan. Het concert is hartstikke laat afgelopen, waar moet ze slapen? Ze kan moeilijk in dit bushokje overnachten. Merel ziet het al voor zich. Op dit bankje krijgt ze het ijskoud zonder slaapzak. En wat als er een engerd langskomt?

Wacht eens. Ze kent hier wel iemand. Iemand die haar kan beschermen tegen alle engerds omdat iedereen denkt dat hij er zelf één is: Alfie.

Heb je die drumstokken voor de show?

Merel kijkt naar het briefje. Het adres klopt, hier moet ze zijn. Nummer vijfentwintig ligt ergens aan de overkant.

De regen komt nu met bakken uit de hemel. Merel hijst haar rugzak op en negeert de dikke druppels die van haar haren in haar shirt glijden.

De buurt is chiquer dan ze had verwacht. De huizen zijn van lichte baksteen en hebben donkergroene deuren. Achter de meeste hoge ramen brandt licht. Nu maar hopen dat Alfie thuis is…

Zal hij hier opvallen met zijn hanenkam en piercings? Vast wel. Maar misschien heeft zijn vader ook een hanenkam. Met een nette stropdas en driedelig pak eronder.

Merel ziet nummer vijfentwintig en steekt de straat over. Haar sokken soppen in haar gympen.

Als Merel de bel heeft ingedrukt, blijft het heel lang stil. Is Alfie er niet? Hij is haar laatste redding! Merel wil nog een keer bellen, maar dan zwaait de deur open.

Merel ziet een gigantische hal met een marmeren vloer en een kroonluchter aan het plafond. Dit heeft wel wat weg van de hotelkamer van vannacht, denkt Merel bij zichzelf.

Voor zich ziet ze een steile trap, maar er is niemand te zien, net als vanmiddag bij die nep-Louisa.

'Hallo?' Merels stem galmt door de gang. Net als een hond schudt ze haar natte haren heen en weer. Er ontstaat een plasje op de deftige vloer.

'Merel?' Alfies verbaasde gezicht verschijnt boven aan de trap. *'Are you okay?'*

Nee, denkt Merel. *Ik ben niet oké.*

'Ik ben doorweekt tot op mijn onderbroek.' Zodra Merel het zegt, kleurt ze rood.

Alfie grinnikt. '*Come in.*'

Merel loopt naar boven en staat ongemakkelijk tegenover Alfie in het halfdonker van het halletje. Gaat hij haar drie zoenen geven, zoals Merel altijd bij Emma doet?

Maar Alfie doet de deur naar zijn kamer al open en gaat haar voor naar binnen. Merel weet niet wat ze had verwacht, maar dit niet.

De kamer is groot, net als de hotelkamer van vannacht, maar één grote bende. Het tweepersoonsbed staat in de hoek en ligt bezaaid met kleding. De kast, die het slaapgedeelte scheidt van de rest, staat vol met boeken, souvenirs en een vissenkom zonder vissen. In de hoek staat een skelet met een peuk tussen zijn tanden en een baseballpetje op. Aan de muur hangt een grote landkaart met punaises en er hangen veel posters van bands. Merel kent er niet één.

'Hier.'

Merel vangt de handdoek die Alfie haar toegooit. Ze droogt snel haar haren af.

'*Something to drink?*' Alfie trekt de koelkast open. Merel kijkt verbaasd naar zijn kleine keukentje. Alfie woont helemaal niet bij zijn ouders, maar op kamers!

'Ja, doe maar water.'

'Heb je daar nog niet genoeg van gehad?' Alfie lacht en wijst in de richting van de bank. '*Take a seat.*'

Merel schuift wat kleding opzij en gaat zitten. Alfie zet haar glas water op het bijzettafeltje en ploft neer op een stoel.

'Sorry dat ik zomaar binnen kom vallen,' zegt Merel. 'Ik kon nergens anders heen.'

Als ze het zo zegt, voelt ze zich misselijk. Ze heeft geen idee waar haar ouders zitten en Daan zwerft ergens in Londen. Merel voelt aan haar wang. Ze hoopt dat hij in paniek is, omdat ze ervandoor ging. Ze gunt hem nu alle paniek van de wereld.

'*It's okay.*'

Merel trekt aan haar natte spijkerbroek, maar het heeft geen zin; de stof plakt meteen weer aan haar benen.

'Waarom praat je eigenlijk Engels en Nederlands door elkaar?'

Alfie glimlacht. '*English mom*, Nederlandse vader.'

Merel knikt. 'O.'

Ze kijkt naar het skelet. In haar klaslokaal staat er ook zo één en die bezorgt haar altijd de zenuwen. Maar die van school heeft geen sigaret tussen zijn vergane tanden.

'Dat was mijn schoonmoeder.'

Merel kijkt op.

'Ik mocht haar niet zo,' zegt Alfie.

Merel schiet ondanks haar nare gevoel in de lach. 'Opgeruimd staat netjes.'

Alfie staat op en zet muziek op. Er klinken harde gitaren door de kamer. Hij zet één been op zijn bed en speelt weer luchtgitaar.

Merel weet niet waar ze moet kijken. Maar Alfie lijkt haar helemaal vergeten te zijn. Hij speelt het hele nummer uit en dan begint het volgende.

Plotseling kijkt Alfie naar haar. 'Heb je die drumstokken voor de show?'

Merel kijkt naar haar rugzak. Wil hij dat ze meedoet? Hoe noemde Daan het ook alweer? *Fantasiegetrommel.* Maar haar broer is er niet!

Merel grist haar twee stokken uit haar zijvak en trekt Alfies salontafel dichterbij. Haar glas water is het bekken en de stapel tijdschriften is de basdrum.

Alfie gilt. '*Yeeeeeaaaaah!*'

Merel krijgt bijna de slappe lach. Emma zou haar eens moeten zien, drummend in de studentenkamer van een *weirde* punker in Londen. Alfie gaat helemaal uit zijn dak op de muziek en zelf begint ze ook steeds fanatieker te slaan.

'*Your turn!*' Alfie wijst op Merel. De zanger van de muziek begint aan zijn tweede rondje schreeuwen. Zal ze…?

'*Yeah!*'

'Veel te voorzichtig,' zegt Alfie. 'Het moet vanuit je tenen komen.'

Merel denkt aan Zac. Wanneer hij zijn solo doet, heeft ze altijd het gevoel dat hij voor de laatste keer zingt. Hij geeft alles. No Time Left geeft altijd tweehonderd procent. Dat is één van de redenen dat ze fan is.

'*Yeaaaah!*'

'Goed zo,' roept Alfie.

'*Yeeeeeaaaah!*' Merel schreeuwt alle woede eruit. Alfie doet met haar mee. Ze laten de kamer trillen, maar het kan Merel niets schelen. Ze gilt en drumt zo hard als ze wil.

Maar dan sterft de muziek langzaam weg. Het nummer is afgelopen.

Alfie draait de volumeknop naar beneden en laat zich hijgend in de stoel vallen. 'Zo. Ga je me nu vertellen waar je je broer hebt gelaten?'

Merel friemelt aan haar drumstokken. 'We hebben ruzie.'

'*Why?*'

'Om het meisje van de portemonnee.'

'Hebben jullie haar gevonden?' vraagt Alfie.

'Nee. Het was de verkeerde.'

'En toen?'

'Daan heeft me geslagen.' Als Merel het zegt, beginnen haar handen weer te tintelen. Ze gaat nooit meer terug.

Alfies wenkbrauwen gaan tegelijk omhoog. '*Damn.*'

Alfies reactie doet Merel goed. Hij staat aan haar kant. Zal ze hem meevragen naar het concert? No Time Left is vast niet zijn soort muziek, maar hij doet het misschien wel voor haar?

'Waar is Daan nu?' Alfie klinkt alsof hij Daan een lesje gaat leren. Merel moet er niet aan denken om erbij te zijn als Alfie boos wordt. Zal ze hem op haar broer afsturen? Net goed!

'Bij een bushalte.' Merel heeft geen idee waar ze zijn uitgestapt. Ze weet alleen nog dat ze heeft gerend tot ze Zacs bruine ogen tegenkwam.

Alfie staat op en ijsbeert door de kamer. '*Damn,*' zegt hij nog een keer.

Het is precies zoals Alfie zegt. *Damn.* Daan heeft haar helemaal in de war gemaakt met zijn stomme opmerkingen. *Denk je nou echt dat die drummer jou wil ontmoeten? Hij heeft wel wat beters te doen! Ze hebben meteen door dat die pas niet van jou is. Ze laten je heus niet door.*

Merel kijkt op haar horloge. Het is nog niet verloren. Als ze opschiet kan ze het concert nog halen.

'Wil…' begint Merel, maar Alfie onderbreekt haar.

'Waarom sloeg hij je?'

'Ik weet al twee dagen van wie de portemonnee is, maar ik heb niets gezegd.'

Alfie stopt met ijsberen en strijkt met zijn hand door zijn hanenkam, die meteen weer in de juiste vorm springt.

'O…'

Merel schaamt zich tegenover Alfie. Wat zal hij wel niet denken? Ze heeft hem tenslotte zelf om hulp gevraagd!

'Ik weet het,' zegt Merel. 'Ik ben een egoïstisch kreng. Maar ik deed het voor Zac.'

Alfie knikt. 'Het is stom, maar dat geeft je broer nog niet het recht om…'

Hij valt stil. Merel denkt na. Daan en zij hebben het allebei fout gedaan.

'Kwam Daan niet achter je aan?' vraagt Alfie.

'Jawel, maar ik ben veel sneller.'

Alfie kijkt naar haar lange benen. '*I believe that.*'

'Ik noemde hem…' Merel denkt na. Kan ze dat wel zeggen? Maar Alfie kijkt haar afwachtend aan. 'Donut Daan.'

Alfie fluit. 'Oei.'

Merel kijkt naar haar gympen. Donut Daan, zo noemen de jongens van zijn school hem. Merel heeft hem gepakt op zijn zwakste plek. Ze is geen haar beter dan die pesters!

Merels woede ebt langzaam weg. Het voelt alsof ze eindelijk wakker wordt na een lange nachtmerrie.

Waar is Daan? Hij had alleen zijn rugzak vol eten, maar dat

was grotendeels op. Bovendien heeft zíj de portemonnee met het geld en de kaart van Londen.

'Ik ga hem zoeken,' zegt Merel en ze staat op. *Maar het concert dan?*

Merel denkt na. Stel je voor dat Daan nog zo'n dief in een donker steegje tegen het lijf loopt. *Wat als die wel een mes heeft?*

'Je bent nog steeds drijfnat.' Alfie wijst op Merels spijkerbroek, die donkere vlekken heeft.

Bij het idee dat ze zo naar buiten moet, rilt Merel. 'Heb jij iets wat ik kan lenen?'

'Iets schoons?' Alfie kijkt om zich heen. 'Ik moet eigenlijk nodig wassen.'

'Je meent het.' Daan kan er ook wat van, maar vergeleken bij Alfie is zijn kamer een paleisje.

'Hier.' Alfie pakt een zwarte trui van het bed. Hij geeft hem aan Merel, samen met een groot T-shirt. 'Ze zijn niet heel schoon, maar het is beter dan die natte bende.'

Merel pakt de kleding aan. Op de trui staat een plaatje van een hond die achter een kip aanrent. Eronder staat met witte letters: *Fast Food.*

Dan galmt de bel door de kamer. Alfie schuift zijn raam open en kijkt naar de straat. Merel gaat naast hem staan en volgt zijn blik.

'Hé!' roept Alfie naar beneden.

De doorweekte jongen op de stoep kijkt omhoog. Hij knijpt zijn ogen dicht tegen de regen.

Merel klemt haar handen om het raamkozijn. 'Daan!'

Ik weet het!

'Doe je nog open?' roept Daan. Zijn stem is nauwelijks hoorbaar door de harde regen.

'Dat ligt eraan,' roept Alfie terug. Hij kijkt naar Merel. 'Doen we open?'

'Schiet op!' Daan veegt zijn natte haar uit zijn gezicht.

Even heeft Merel de neiging om hem te laten staan, maar dan knikt ze. 'Ik vind het goed.'

'Vooruit.' Alfie drukt op het knopje. 'Omdat je zus het zegt.'

Twee tellen later staat Daan uit te druipen in de deuropening.

'Wat doe jij hier?' vraagt Merel verbaasd.

'Ik wist meteen dat je hierheen ging.'

'Hoe dan?'

'Ik ben je broer,' zegt Daan alleen maar. Hij likt een druppel van zijn neus.

'Ik ga niet met je mee, als je dat soms denkt,' zegt Merel.

Daan haalt met veel lawaai zijn neus op. 'Jij hebt niets te willen.'

'En anders? Ga je me dan weer slaan?'

Daans blik schiet naar Alfie, die met zijn armen over elkaar staat toe te kijken. 'Ze heeft er zeker niet bij gezegd waaróm ik dat heb gedaan, of wel?'

Merel doet een stap naar voren. 'Jij hebt echt geen idee hoe graag ik ze wil ontmoeten, hè?'

Daan haalt nonchalant zijn schouders op. 'Heus wel. Je kwijlt elke dag op Zac.'

'Ik kwijl niet op hem,' zegt Merel. 'Hij luistert naar me.'

'Wat doe je dan? Praat je soms tegen je posters?' Daan grinnikt.

Probeert hij haar voor gek te zetten waar Alfie bij is? Nou, dat kan zij ook! Merel balt haar vuisten.

'Ja, als jij weer eens gepest wordt.'

'Ik word niet gepest,' zegt Daan.

'Wel waar.'

'Jij leeft in je eigen wereldje. Je denkt serieus dat je die gasten gaat ontmoeten, maar dat gebeurt niet. *Wake up!*'

Daans opmerking doet nog meer pijn dan zijn klap.

'Ik heb Zac gezien bij het ontbijt en voor het hotel. De derde keer lukt het me.'

'Er komt geen derde keer,' zucht Daan.

'Wat wil je nou? Dat ik het opgeef, net zoals jij doet?'

'Hoe bedoel je?'

'Jij laat je altijd pesten. Kom nou eens voor jezelf op!'

'Sommige dingen zijn nou eenmaal zo.'

'Nou, ik geef niet op.' Merel haalt schokkerig adem. Ze ziet Zac weer in die taxi stappen, voordat ze bij hem kon komen. Ze was zó dichtbij…

Merel draait zich om en beent de gang op. De badkamerdeur draait ze op slot en ze gaat op de wc-pot zitten. Ze laat haar hoofd in haar handen vallen en snikt.

'Merel.' Daan bonst boos op de deur. 'Doe open.'

'Nee.'

'Doe niet zo achterlijk!'

Merel kijkt op haar horloge. Het concert begint bijna en niemand gebruikt de pas. Moet je haar nou zien! Ze zit opgesloten op een wc. Ze voelt zich verslagen door Daans woorden. *Wake up.* Heeft hij gelijk? Droomt ze te veel?

'Merel.' Daan roffelt zo hard op de deur dat Merels drumleraar trots op hem zou zijn. 'Kom eruit!'

'Ze wil niet,' hoort Merel Alfie zeggen. 'Dat zie je toch.'

'Houd je erbuiten. Je hebt geen idee wat er allemaal aan de hand is.'

'Ze wil die backstagepas zelf gebruiken, zeker?'

'Hoe weet jij dat?' vraagt Daan.

'Je hoeft niet haar broer te zijn om dat te snappen,' zegt Alfie.

'Ga het nou niet voor haar opnemen.'

'Ze is fan,' zegt Alfie.

'Dus?'

'Als je ergens zo'n fan van bent, ga je soms te ver.'

'Veel te ver,' zegt Daan.

'*Whatever*.'

'Ze lijkt wel zes,' snauwt Daan. 'Alleen kleine kinderen doen zo.'

'Ze is slimmer dan je denkt.'

'Zich in de wc opsluiten?' Daan lacht sarcastisch. 'Noem je dat slim?'

'Nu móét je wel met me praten.'

Het valt even stil.

'Ik praat niet met jou,' zegt Daan dan.

'Ook goed,' zegt Alfie. 'Dan blijft ze sowieso zitten.'

Merel kijkt naar haar spiegelbeeld. Ze veegt haar haren uit haar gezicht en bindt ze in een staart. De hele badkamer ligt bezaaid met tijdschriften en kranten. Aan de muur hangt een scheurkalender met moppen. Hier kan ze het makkelijk een uur volhouden.

Merel trekt haar natte vest en T-shirt uit en kijkt naar de kleding van Alfie. Het idee dat ze straks in zijn trui rondloopt, voelt vreemd. Ze kent Alfie pas net één dag. Emma zou haar vast plagen.

'Ben je verlieeefd?' zou ze vragen.

Merel pakt het grote shirt, maar voordat ze het aantrekt, steekt ze haar neus erin. Daan heeft altijd vieze jongensdeodorant op, maar Alfies trui ruikt anders. Een mix van aftershave, wasmiddel en koffie. Merel heeft een hekel aan koffie, maar de trui ruikt lekker. Ze snuift nog een keer.

Emma moest haar eens zien zo. Snel trekt Merel het shirt en de trui over haar hoofd. De trui slobbert om haar lijf, maar is lekker warm. Haar natte kleren hangt ze over de verwarming boven de wc.

'Wat ga je doen?' hoort Merel Daan zeggen.

'Koffie zetten.'

'Koffie zetten?'

'Dit kan nog wel even duren.'

'Merel,' hoort ze Daan smeken. 'Doe nou open.'

'Heb je er suiker in?' roept Alfie.

'Ik hoef geen koffie,' snauwt Daan.

'Weet je het zeker?'

'Die gast werkt me op de zenuwen,' fluistert Daan.

Merel wringt haar handen in elkaar. Die gast is anders wel hartstikke leuk. Alfie weet precies hoe hij haar moet opvrolijken!

'Het was *by the way* geen goede actie van je.' Alfie komt terug het halletje in. Merel hoort hem in zijn koffie roeren. 'In plaats van je zus, kan je beter die pesters van je afslaan.'

'Ik word niet gepest,' zegt Daan nog een keer.

'Donut Daan?' herhaalt Alfie.

'Ach, wat weet jij daar nou van!'

Alfie lacht. 'Denk je dat ik niet weet hoe het is om gepest te worden? Maar ze kunnen me wat, ik sla ze van me af. En dat werkt.'

Merel ziet hem nog over straat rennen, springend over elk putdeksel. Het kan Alfie helemaal niets schelen wat mensen van hem vinden. Pesters pakken de mensen die onzeker zijn, die zich níét verdedigen.

'Je weet helemaal niets,' zegt Daan. 'Laat me met rust.'

'Ik noemde je Dubbeldekker Daan. Daarom doe je toch zo fel? Ik had het over de bus, hoor.'

'Dat weet ik heus wel,' zegt Daan, maar hij klinkt onzeker. Was hij bang dat Alfie hem ook zou gaan pesten? Misschien is hij eigenlijk wel bang voor Alfie, wilde hij daarom zo snel van hem af.

Merel voelt medelijden. Ze heeft het nooit met haar broer over zijn pesters, maar ineens komt het heel dichtbij. Zal ze sorry zeggen voor haar opmerking bij de bushalte?

Maar alle dingen die Daan tegen háár zei dan? Hij noemde haar een *nerd*, *wijsneus* en *kinderachtig*. En hij heeft haar geslagen!

'Ik ga meer koffie halen,' zegt Alfie. 'Weet je zeker dat je niet wil?'

'Ja-ha.'

'Probeer jij alsjeblieft je zus eruit te krijgen,' zegt Alfie. 'Ik moet heel nodig plassen.'

Merel slaat haar derde tijdschrift open. Alfies verzameling is indrukwekkend, maar ze kent geen enkele band die erin staat. Alle zangers dragen zwarte kleding en hebben veel piercings en kettingen. Sommigen zijn geschminkt en hebben hanenkammen, net als Alfie.

Merel probeert een column te lezen, maar ze kan er geen touw aan vastknopen. Dit is ingewikkeld Engels, met lange, onbekende woorden.

'Wat zou je zus aan het doen zijn?' vraagt Alfie zich hardop af.

'Hoe bedoel je?'

'Laat je m'n tijdschriften heel?' roept Alfie door de deur heen.

Merel knikt, ook al kan Alfie dat niet zien.

'Je gaat toch niet zeggen dat je ook fan bent van No Time Left, hè?' vraagt Daan.

'Niet echt. Jij?'

'Absolúút niet,' zegt Daan.

'Dan hebben we toch nog iets gemeen.'

Daan lacht. 'Vind jij Zak ook het ergste?'

'Zac!' wil Merel roepen, maar ze is allang blij dat Daan en Alfie geen ruzie meer maken.

'Noem je die drummer Zak? Dat zal Merel leuk vinden.'

'Niet echt,' geeft Daan toe. 'Maar als grote broer moet je af en toe pesten.'

Merel bladert door een nieuw tijdschrift. Het is een ander dan de rest, met meer bekende bands. Wie weet staat er wel iets over

No Time Left in! Een interview, een foto of een poster? Merel bekijkt de paparazzi-pagina. Close-ups van bekende sterren die hun hond uitlaten of zoenend op het strand liggen. Waarschijnlijk hebben die fotografen van vanochtend dit op hun geweten.

Maar dan ziet Merel ineens de bekende koppen van de drie broers. Zac, Liam en Jay, in een cafeetje.

Wat zijn ze knap, denkt Merel bij zichzelf. Nog even en hun concert begint. En zij zit op een wc!

Merel richt zich weer op de tekst. *Brothers Zac (18), Liam (21) and Jay (23) during their stay in London.*

Merel fronst haar wenkbrauwen. Waarom komt haar die bar zo bekend voor? Wacht eens… Daar heeft ze vandaag met Daan en Alfie gezeten! Merel gelooft haar ogen niet. Was het hetzelfde tafeltje? Wanneer is deze foto gemaakt?

Dan ziet Merel nog een foto op de pagina staan. De drie broers, hoog in de lucht, uitkijkend over Londen. Zac kijkt een beetje angstig in de camera. Hij klampt zijn handen om een ijzeren stang. Zou hij ook hoogtevrees hebben? Merel leest snel de tekst die erbij hoort.

Zac, Liam and Jay in the London Eye.

De London Eye? Zac heeft dezelfde stang vast als Merel gisteren! Zou hij ook zulke zweethanden hebben gehad? Merels hart bonst. Hoe kan dit?!

Dan ziet Merel een meisje op de foto staan. Ze staat half verscholen achter Zac, maar is nog zichtbaar. Heeft hij soms een vriendin? Nee, Merel checkt die roddels elke week. Als Zac een vriendin had, zou zij het weten.

Of is het misschien pas net aan? Merel kijkt naar de foto van de lunch in het cafeetje. De paparazzi hebben deze foto vast van buitenaf gemaakt.

De broers kijken niet in de lens, maar naar iemand aan tafel. Merel houdt het tijdschrift dichterbij. De foto is korrelig, maar Merel herkent dezelfde krullen als op de andere foto. Zie je wel, het meisje is er telkens bij! Zou het écht Zacs vriendin zijn? Nee, het kan net zo goed een manager of een assistent zijn. Merel voelt jaloezie opkomen. Die meid mag gewoon met hen lunchen en krijgt er nog voor betaald ook! Op de tafel ziet ze broodjes en vier cola.

Vier broodjes en vier cola... Waar heeft ze dat eerder gehoord? Merel schiet rechtop. Het bonnetje uit de portemonnee.

'Ik weet het!' schreeuwt ze uit.

'Wat?' roept Daan geschrokken vanaf de gang.

Merel kan haar ogen nauwelijks geloven. 'Louisa,' stamelt ze. 'Ze is...'

Nee, dat kan toch niet? Maar het zou wel alles verklaren. De backstagepas, het bonnetje, het toegangsticket voor de Londen Eye en deze foto's.

'Wat is er?' roept Alfie.

'Louisa,' roept Merel nog een keer. Ze bekijkt het plaatje in het tijdschrift. De krullen, de bril, alles klopt. Als ze heel goed kijkt, kan Merel zelfs de tatoeage in haar nek ontdekken.

'Ze werkt voor de band!'

We hebben geen tijd meer!

'Schiet op!' Merel dendert de trap af. De laatste drie treden springt ze naar beneden.

Waarom heeft ze ineens zo'n haast? Ze wilde Louisa toch helemaal niet vinden?

'Wat gaan we doen?' roept Daan.

'Naar haar toe natuurlijk!' Merel heeft vleugels. Het liefst was ze naar de concerthal gerend, maar Alfie houdt een taxi aan.

'We gaan naar Louisa?' vraagt Daan verbaasd als ze op de achterbank zitten. 'En Zak dan?'

'Zac!' Merel kijkt naar de backstagepas in haar handen. Sinds de ruzie met Daan is ze gaan twijfelen aan alles. 'Ik weet het niet...'

'Wel goed dat jullie ruziemaakten,' zegt Alfie.

'Hoezo?' vraagt Daan.

Alfie wijst op Merel. 'Anders had zij dat tijdschrift nooit gelezen.'

Alfie heeft gelijk. Dit had Merel nooit bedacht, laat staan geloofd. Ze heeft veel fantasie, maar dit is gekker dan al haar fantasieën bij elkaar. Louisa is helemaal geen fan; ze werkt elke dag met Zac, Liam en Jay. Waarom heeft Merel dat niet eerder bedacht?

Misschien wel omdat ze er helemaal niet mee bezig was. Ze wilde de band zien, Louisa liet haar koud.

De taxi slaat af en Merel kijkt uit het raam. Ze ziet een enorme rij meisjes staan. Sommigen houden spandoeken vast en er wordt keihard gegild.

Daan slaat zijn handen voor zijn oren. 'Ik word doof!'

De taxi remt af en Merel geeft de chauffeur geld uit de portemonnee van Louisa. *Het laatste*, denkt ze bij zichzelf en ze schrikt er zelf van. Wil ze de portemonnee echt aan haar terug-geven? Maar Zac, Liam en Jay dan?

Als ze uitstappen, ziet Merel pas hoe groot de rij is, die door middel van dranghekken wordt geregeld. Duizenden meisjes gillen de longen uit hun lijf. Overal hoort ze songteksten van No Time Left. Een paar meisjes hebben de namen van de broers op hun gezicht geschreven, met zwarte stift. Eén meisje heeft een tekst op haar arm: ZAC, MARRY ME!

'Wat doen we nu?' vraagt Daan.

Merel weet het niet. Hoe kon ze denken dat ze zomaar backstage kon komen? Alle meisjes hier hebben dat vast al geprobeerd. Merel hoort allerlei talen: Engels, Frans, Duits en Nederlands. Ze is gewoon een van de duizenden fans.

'Kom,' zegt Alfie en ze lopen met z'n drieën langs de rij. Veel meisjes hebben slaapzakken bij zich en halverwege ziet Merel zelfs een tent, helemaal verregend door de bui van net.

Ze zijn eindelijk bij de ingang. Een meisje met een grote Z op haar wang, duwt Merel ruw naar achteren als ze erlangs wil.

'Op je beurt wachten, trut,' zegt het meisje, Nederlands dus. 'Wij staan hier al sinds gisteravond.'

'Kom,' zegt Daan en hij wil zich langs het meisje wurmen.

Het meisje maakt zich breed. 'Dit is alleen voor échte fans.'

De opmerking komt aan als een vuistslag. Merel had hier van-nacht willen liggen, in haar slaapzak. Ze had de fotografen opzij moeten duwen vanochtend, desnoods met geweld. Waarom heeft ze Zac niet herkend met zijn nieuwe kapsel? Misschien hebben het meisje en Daan wel gelijk; is zij geen échte fan.

'Wat zei ik nou?' Het meisje begint kwaad te worden. 'Weg-wezen, dikzak.'

Merel kijkt geschrokken op. *Dikzak?*

Het meisje blaast haar wangen bol, net als die jongen in de metro gisteren.

Merel doet een stap naar voren. 'Als jij nog één keer...'

'Laat maar,' zegt Daan. Hij pakt Merel bij haar mouw. 'Het heeft geen zin.'

Merel voelt tranen in haar ogen prikken. 'Mogen ze dan alles zomaar zeggen?'

'Natuurlijk niet.' Daan draait zich terug naar het meisje. 'Mijn zusje hier is de grootste fan die er is, oké? Ze heeft zo veel posters op haar kamer dat het wel behang lijkt, ze drumt mee met hun muziek tot ik er gek van word en stiekem is ze verliefd op alle drie.'

Zo heeft Daan nog nooit gedaan! Merel kijkt naar haar broer, die rode wangen krijgt. Maar hij is nog niet klaar.

'Wij hebben een backstagepas. Zal Merel de band soms de groeten van je doen?'

Het meisje lacht. 'Droom jij lekker verder.'

'Kijk maar.' Daan pakt de pas uit Merels handen.

Het meisje kijkt met grote ogen naar de backstagepas.

'En nu aan de kant, we hebben geen tijd meer.'

'*No time left*,' vertaalt Alfie lachend.

Ze wurmen zich alle drie langs het meisje.

'O, en dan nog iets.' Daan draait zich om. 'Niemand noemt mij een dikzak.'

De bewaker voor de deur kijkt nors voor zich uit.

'Wat nu?' sist Merel.

'Gaan,' zegt Daan.

'Wát?'

'Je komt er heus wel langs.'

Merel kijkt naar de bewaker. Hij is ongeveer van Alfies leeftijd, nog helemaal niet oud.

'Straks vraagt hij hoe ik aan de pas kom,' zegt Merel. 'Wat dan?'

'Dat doen ze niet,' zegt Daan.

'Maar ze laten een meisje als ik toch nooit door? Dat zei je zelf!'

Daan schudt zijn hoofd. 'Ik heb wel meer gezegd.'

'Ik weet het niet, hoor…' Merel draait de pas rond in haar hand.

'Stel je niet zo aan. De portemonnee moet terug naar Louisa en bovendien moet jij Zac ontmoeten. Je bent honderd keer leuker dan die domme fans hier.'

Merel kijkt verbaasd naar haar broer.

Daan kleurt. 'Ik heb heus wel nagedacht toen jij op de wc zat.'

Merel slaat twee armen om hem heen. Heel even drukt ze haar broer tegen zich aan.

Daan klopt ongemakkelijk op Merels rug. 'Het is al goed. Ga nu maar snel naar binnen.'

Merel kijkt naar de bewaker. Binnen wacht Louisa en misschien wel No Time Left. Wie zal ze eerder vinden? Komt ze überhaupt binnen?

Met bevende hand laat Merel de backstagepas aan de bewaker zien. De jongen kijkt er eventjes naar en dan weer naar Merel. Ze probeert hem strak aan te blijven kijken.

Merel denkt aan de jongens in het restaurant en de metro, waar ze verlegen van werd. Ze wordt van alle jongens verlegen. Behalve van Alfie. Bij hem kan ze zichzelf zijn, drummend op een stapel tijdschriften.

De bewaker knijpt zijn ogen tot spleetjes. Hij probeert vast haar leeftijd te schatten.

Merel recht haar rug. Ze is lang, dat is haar voordeel!

Kom op, denkt ze bij zichzelf. *Laat me door!*

De jongen draait zich om. Gaat hij extra bewaking oproepen? Maar dan doet hij de deur open. Achter Merel gillen er tientallen meisjes. Ze hopen allemaal op een glimp van No Time Left. Maar Merel ziet een lege gang, met heel veel deuren.

Ze mag erin! Merel stapt naar binnen en draait zich nog even om. Ze ziet hoe Daan zijn duim opsteekt, maar dan valt de deur weer dicht. De geluiden van buiten klinken gedempt.

Het is gelukt! Merel knijpt even haar ogen dicht en doet ze weer open, om er zeker van te zijn dat dit geen droom is.

Maar ze staat er echt. In de gangen van de concerthal.

Merel kijkt de gang in. Waar moet ze heen? Voorzichtig voelt ze aan een deurklink en de deur gaat piepend open. Geen bloederige kunst dit keer, maar een rommelhok.

Maar dan hoort ze ineens drums in de verte. Het is het begin van een ingewikkeld ritme, dat ze als geen ander kent: Zac!

Merel rent door de gang, op zoek naar het geluid. Ze rent op het ritme van Zac. Zijn drumspel gaat even snel als haar hartslag.

De gang gaat over in een andere gang. Het lijkt hier wel een doolhof, maar Merel volgt gewoon de muziek van No Time Left. Zacs ritme is beter dan welke plattegrond ook.

Merel duwt nog een deur open en staat ineens midden in een enorme zaal. De lampen aan het plafond schieten alle kanten op.

Er staan drie jongens op het podium. De pianist zingt met zijn ogen dicht en leunt op de microfoonstandaard. De gitarist schuift zijn vingers heen en weer over de hals van zijn elektrische gitaar en de drummer drumt alsof zijn leven ervan afhangt. Ze geven tweehonderd procent, zelfs bij de soundcheck.

Merel rilt, maar het heeft niks met kou te maken. Het is net of ze speciaal voor haar spelen. Haar lippen bewegen mee met die van Liam. Elke noot gaat recht haar hart in. Merel voelt tranen in haar ogen staan. Het is alsof alle puzzelstukjes op hun plek belanden. Het was het allemaal waard. De leugens, het enge reuzenrad, de achtervolging met de dief en de ruzie met Daan.

Het lijkt wel alsof iemand haar gympen aan de vloer heeft gelijmd. Ze kan niet meer bewegen.

Hier staat ze dan, in een lege zaal, die straks volstroomt met duizenden fans. Maar dit is een privéconcert, voor haar alleen.

Dan voelt Merel ineens een sterke greep om haar bovenarm.

Een man met een portofoon kijkt haar streng aan. '*Who are you?*'

Hoe heette ze ook alweer? Merel hoort Liam zingen en ze kan niet meer helder nadenken.

'M-Merel.'

'*What are you doing here?*'

Denkt die man soms dat zij één van die verliefde fans is, die stiekem naar binnen is geslopen? Hij pakt zijn portofoon, waar een hoop geruis uitkomt.

Merel kan eindelijk weer nadenken. Straks staat het hier vol met bewakers! Of misschien moet ze wel naar het politiebureau! Snel laat ze de backstagepas in haar hand zien.

Het gezicht van de man ontspant. Een simpel stuk papier met drie woorden erop. No Time Left. Het lijkt wel een wondermiddel!

'*Come.*' De man gaat haar voor richting het podium. Mag ze hen ontmoeten? Maar de man loopt naar een zijdeur.

Merel kijkt nog even naar Zac, die op nog geen vijf meter afstand staat. Ziet ze No Time Left nog terug? Waar gaan ze heen?

De man loopt door een andere gang. Merels hart gaat nog steeds tekeer. Het doet bijna pijn. Brengt hij haar weer naar buiten? Waarom stond ze dan ook zo stom naar No Time Left te staren?

'*Here.*' De man wijst op een grote ruimte. Er staat een spiegel met lampjes eromheen, een kledingrek met schoenen en een rode bank.

Is dit de kleedkamer van No Time Left? De man loopt weer weg. Merel kijkt met grote ogen om zich heen. Ze herkent een shirt dat Zac droeg in hun laatste clip.

Met twee passen is ze bij het rek en ze buigt zich voorover. Met gesloten ogen snuift ze de geur op. Die wil ze voor altijd onthouden.

Kan ze het T-shirt niet meenemen? Of iets anders van hier, als souvenir? Maar wat ze het liefst wil, heeft Zac bij zich: zijn twee drumstokken.

Plotseling gaat de deur open. Merel kijkt naar een meisje met een rode bril. Er gaat een schok van herkenning door haar heen, alsof het meisje ook een bekende ster is. Londen is zo groot als de provincie Utrecht, maar Merel heeft haar gevonden.

Dit is alleen voor échte fans

Achter Louisa stopt de muziek van No Time Left. Ze zijn klaar met soundchecken.

'*Who are you?*' vraagt Louisa. Ze is kleiner dan Merel had verwacht, maar de tatoeage maakt haar stoer.

'*My name is Merel.*' Merel ritst haar rugzak open en haalt de gebloemde portemonnee tevoorschijn. '*Is this yours?*'

Louisa hapt naar adem. Even denkt Merel dat ze flauw zal vallen, maar dan grist ze de portemonnee uit Merels handen.

'*O my god!*' Louisa bekijkt de portemonnee van alle kanten en slaat hem open. Dan glijdt er een teleurstelling over haar gezicht. Ze mist natuurlijk de backstagepas. Merel laat het kaartje zien dat ze in haar handen heeft, maar Louisa schudt haar hoofd.

Het geld! Merel en Daan hebben de afgelopen twee dagen alles betaald uit Louisa's portemonnee. '*We will pay you back,*' zegt Merel snel.

'*No, no, I don't need the money back. But there was a picture, from me and my granny.*'

Haar oma? Zoekt ze de foto? Merel tast in haar broekzak en trekt hem eruit. Er zit een ezelsoor aan, maar verder is hij nog helemaal heel.

Nu springen er tranen in Louisa's ogen. Ze drukt haar lippen op de foto en fluistert iets onverstaanbaars.

Merel snapt er niets van. Louisa heeft de backstagepas en het geld helemaal niet gemist! Het is de foto waar ze het meest blij om is. De foto van haar en haar oma. Dat geloof je toch niet?!

'*Thank you,*' zegt Louisa tegen haar. '*You are amazing.*'

Op dat moment klinkt er keihard gejuich en gegil. Het concert gaat beginnen!

Louisa kijkt naar Merel. *'Do you want to see the concert?'*

'Yes!' Merel schreeuwt het zowat uit. Maar dan beseft ze dat Daan en Alfie nog buiten staan. Als ze dat zegt, knikt Louisa bemoedigend.

'Everything is going to be all right.'

Ongelooflijk. De hele backstagepas kan Louisa gestolen worden. Zou ze soms een nieuwe hebben gekregen? Vast wel. | 97

Merel ziet hoe Louisa een bewaker aanspreekt. Hij gaat meteen weg om Daan en Alfie op te halen. Is Louisa soms de manager van de band?

Merel kijkt naar haar. Louisa is een kop kleiner dan Merel, maar ze lijkt wel de vrouwelijke versie van Alfie. Stoer vanbuiten, zacht vanbinnen. Anders ben je toch niet zo gehecht aan een foto met je oma?

Louisa gaat Merel voor naar de zaal, die helemaal vol is. Alleen op de bovenste tribune is nog plek. Als ze daar zit, kan ze de band nauwelijks zien. Dan is Zac niet meer dan een minuscuul poppetje.

Maar Louisa loopt naar de plek vóór het podium, waar de pers staat. Ze tilt een dranghek op en laat Merel erlangs.

Deze keer duwen de fotografen haar niet opzij. Ze gaan zelfs voor haar aan de kant!

Merel kijkt omhoog. Als ze haar hand uitsteekt, kan ze bijna bij de pianokruk van Liam.

'Hoe kom jij hier nou?' Het meisje met de Z kijkt haar ongelovig aan. Ze staat vooraan, maar achter de dranghekken.

Merel haalt haar schouders op. 'Dit is alleen voor échte fans.'

Merel springt mee met het laatste nummer alsof ze op een trampoline staat. Zac heeft al drie keer gezwaaid, maar ze weet niet zeker of het naar haar was. Waarschijnlijk zien ze niets met die felle lampen op hun gezicht.

Als de laatste noot wegsterft, gilt Merel de longen uit haar lijf.

'Ze waren niet héél slecht,' hoort ze Daan tegen Alfie zeggen.

'Het viel inderdaad mee,' geeft Alfie toe.

Merel glimlacht. Ze heeft de jongens heus wel mee zien springen net.

No Time Left zwaait nog een laatste keer, maar dan lopen ze het podium af. Merel voelt een steek van teleurstelling. Geen kus van Jay, geen hand van Liam en geen drumstokken van Zac.

Op dat moment hoort Merel haar naam. Louisa wenkt hen vanaf de zijkant van het podium.

'Wat wil ze?' vraagt Merel zich hardop af. Ze lopen met z'n drieën naar Louisa, die hun weer voorgaat naar de kleedkamer. Hoopvol kijkt Merel om zich heen, maar er is geen spoor van de jongens. Staan die ergens onder de douche hun zweet af te spoelen? Ze wordt rood bij die gedachte.

'*I have to call your parents,*' zegt Louisa, en ze pakt de telefoon.

Haar ouders bellen? Merel kijkt geschrokken op. Hoe gaan die reageren?

'O jee,' zegt Daan. 'Dat wordt leuk…'

Louisa belt eerst naar station Brussel-Zuid, waar ze het hele verhaal allang kennen. En uiteindelijk krijgt ze hun ouders te pakken. Merel hoort haar moeder aan de andere kant van de lijn huilen. Louisa praat heel lang met haar, op een rustige toon. Ze legt van alles uit, maar het gaat langs Merel heen. Ze voelt een steen in haar maag.

Als Merel haar moeder te spreken krijgt, vraagt die wel vijf keer of alles écht goed gaat.

'Ja, mam, het gaat prima. We zien jullie morgen. In Parijs?! Hoe komen we daar? Oké, ik geef Daan wel even.'

Daan neemt de telefoon over. Merel kan niet horen wat haar moeder allemaal zegt. Waarom moeten ze naar Parijs? Zijn haar ouders hen daar soms gaan zoeken?

Ineens beseft Merel dat het avontuur is afgelopen. Vanaf morgen is alles weer normaal, alsof er niets is gebeurd.

Op dat moment gaat de deur van de kleedkamer open.

Een jongen met nat haar steekt zijn hoofd om de hoek. Om

zijn schouders hangt een handdoek en hij draagt een gestreept T-shirt.

Hij kijkt Louisa vragend aan. *'Are you ready?'*

'Yes,' zegt Louisa. *'I'm coming.'*

Dan valt de deur weer dicht. Ben je klaar, vroeg hij, met dezelfde stem als in interviews. Ja, ik kom, zei Louisa, alsof het niks is.

Merel voelt een tromgeroffel in haar binnenste. Haar hart gaat als een gek tekeer, als tijdens een drumsolo.

Daan slaat zijn arm om Merel heen. 'Gaat het?'

Merel kan haar ogen niet van de deur afhouden, waar hij net nog stond. 'Dat was…'

Daan lacht. 'Ik weet het.'

'Waarom zei je niets? Je liet me gewoon staren.' Merel geeft haar broer een stomp. 'Zak!'

'*Zac!*' zegt Daan.

'Haha.'

'Nee, dáár.' Daan pakt Merel bij haar schouders en draait haar naar de deur.

Zac staat in de deuropening en kijkt Merel lachend aan.

'I know you! You are the girl with the drumsticks.'

Merels ogen worden groot. Daar staat hij. Niet de papieren versie, maar de echte. Met druipend haar en donkerbruine ogen.

'I…' stamelt ze.

'She is a big fan,' helpt Alfie haar.

'The biggest,' zegt Daan snel. *'Believe me.'*

Zac komt de kamer binnen. Hij haalt een foto uit zijn kontzak en trekt met zijn mond de dop van een zwarte stift.

'Here you go.' Hij geeft Merel een fotokaart met handtekening.

Merel kijkt Zac aan. Zijn donkerbruine ogen hebben kleine spikkeltjes. Hij is tien keer mooier dan op de posters.

Wat moet ze zeggen? Ze heeft dit in haar hoofd wel honderd keer geoefend, maar ze is het allemaal vergeten. Haar benen trillen zo dat ze bang is dat ze omvalt.

'*Come here.*' Zac slaat twee armen om Merel heen. Voor Merel het beseft, staat ze tegen hem aan. Zacs natte haar kietelt haar gezicht. Hij ruikt naar perzikshampoo. Ze voelt zijn hart bonzen. Het is het mooiste ritme dat ze ooit heeft gehoord.

Zac laat Merel los en glimlacht. '*Bye.*'

Niet gaan, denkt Merel, maar Zac is de gang alweer op.

'*We have to go,*' zegt Louisa.

Merel kijkt naar de fotokaart in haar handen. Zacs handtekening!

Maar niets weegt op tegen de geur, die ze voor altijd gaat onthouden. Als ze thuis is, moet ze meteen perzikshampoo kopen.

Wat zal Emma zeggen? Misschien gelooft haar vriendin haar niet eens. Ze is vergeten een foto te vragen!

'Waar gaan we heen?' vraagt Merel verbaasd, als Daan haar bij haar arm pakt.

'We nemen de bus,' zegt Daan.

'Hè?' Merel snapt er niets meer van. Haar benen trillen nog steeds. Zac gaf haar een knuffel!

You are the girl with the drumsticks. Hij herkende haar van vanochtend bij het hotel.

Wacht eens... de drumstokjes. Hoe kan ze zo stom zijn? Zac stond voor haar neus!

'We gaan met Louisa mee,' zegt Daan.

'Met Louisa? Papa en mama zeiden toch dat we naar Parijs moesten?'

Merel wil hier helemaal niet weg. Als ze snel is, kan ze Zac misschien nog één keer zien. En Liam en Jay.

'Ik dacht dat jij zo slim was,' merkt Daan op. 'We krijgen een lift met de bus!'

Een lift? Maar dan beseft Merel het. Ze krijgt het warm in Alfies trui en klemt haar handen om haar drumstokjes. Het beschadigde hout prikt in haar handpalmen.

Hier heeft ze over gelezen in haar tijdschrift. No Time Left reist per tourbus van stad naar stad, voor hun concerten. En morgen? Morgen spelen ze... in Parijs.

® Joey Buddenberg

Maren Stoffels over *Verliefd op alle 3*

Ik weet precies hoe Merel zich voelt! Een jaar geleden heb ik, na vijftien jaar wachten, eindelijk mijn favoriete band ontmoet. Ik ben al fan sinds mijn negende en had enorm veel posters op mijn kamer.

Mijn favoriete band bestaat ook uit drie broers, waarvan de jongste drumt en Zac heet. En ik ben ook op drumles gegaan omdat ik even goed wilde worden als hij (maar dat is nooit gelukt ☺).

Maar Merel is wel een heel grote fan. Ze weet echt álles van No Time Left en denkt er zelfs nog even over om de backstagepas te houden!

Ben jij ook fan van iemand? En zou jij zo'n backstagepas zelf houden of terugbrengen? Laat me je verhaal horen!

Liefs,
Maren

Songtekst *FLYIN' SOLO*

104 | Crush Boys (Daniel Volpe and Thomas Lipp)/Charlie Mason, published by Charly
Prick Music

People think I'm back in action, 'cause I'm jokin'...
Wish I was; sick o' feelin' like I'm broken.
Even now, sad to say I still, I love 'er...
Only mess around to keep it covered.

I appreciate it, that ya wanna hook up;
Trouble is that I'm really pretty shook up.
In a week or two, I'm sure I'm gonna look up
And be "I shoulda!" but...

Tonight I'm flyin' solo, solo...
You an' me are just a no-go, no-go!
Getting' over her is so whoa, so whoa...
For the moment, gotta stand alone!
I'm b-b-better flyin' solo, solo!
You an' me are just a no-go, no-go!
Getting' over her is so whoa, so whoa...
For the moment, gotta stand alone!
I'm b-b-better flyin' solo!

Me and her, I coulda sworn it was forever...
Not the kind of a thing a fight'd sever.
Even now, crazy part o' me expected
She'd-a called or at the least-a texted.

Shouldn't lay it on you, stupid to be missin'
Someone who doesn't care enough to listen.
In a week or two, I betcha we'll be kissin'...
You'll be "I told ya!" but...

Jeronimo & Maren

Ik kan niet geloven dat Maren mij heeft gevraagd om een titel-
song voor haar boek te verzorgen. Toen ik het hoorde, dacht
ik eigenlijk dat ze een grap maakte. Maar toen een paar dagen
later de telefoon ging om een officiële afspraak te maken, kreeg
ik toch vlinders in mijn buik. Normaal gesproken sta ik op een
voorkant van haar boek en dan weet ze heel mooi mijn hoofd
eraf te snijden! Haha, je moet maar eens kijken bij *Verboden voor
ons* & *Op blote voeten*!
Maar zonder te veel grappen te maken: ik vond het fantastisch
om op deze wijze met zo'n getalenteerde schrijver als Maren
samen te werken. Die kans krijg je niet elke dag! Heel veel lees-
en nu dus ook mega veel LUISTERplezier!

Heel dikke kus, Jeronimo

© Merel Ooms

Waarom zijn er altijd sound-
tracks bij films en nooit bij
een boek? Daar moest ver-
andering in komen, vond ik.
Geweldig Jeronimo, dat je
dit wilde doen en wat is het
een gaaf nummer geworden.
THANKS!

En nu sta je trouwens wél met
je hoofd op mijn boek, hè.
Driemaal is scheepsrecht ;)

Liefs,
Maren